KB076729

창의력을 깨우는 비밀 코드!

아이의 뇌의 특별한 선물, 음악 하브루타

지은이 / 양일지

CONTENT

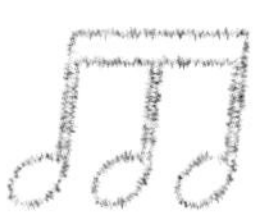

들어가는 말

음악으로 아이와 속마음 나누기
의미있는 변화를 위한 시작

부모들은 언제나 자녀가 좋은 대학을 가거나, 성적을 잘 받거나, 사람들이랑 잘 지냈으면 한다. 결국에는 모두 행복하라고 하기 위함이다.
'아이가 행복했으면 좋겠다.' 모든 부모는 이런 마음으로 교육을 할 것이다.

예전에는 공동체 사회에서 개인의 선택권이 많이 없었다.
가족 또한 대가족에서 소가족, 그리고 지금은 1인 가구 천만 시대다. 1인 가구로 살다 보니 개인의 자유가 많아진다.

시간이 많을 때 뭘 해야 하는지도 모르겠고 또 어떤 선택을 했을 때 좋지 않은 결과가 생기면 불행한 마음이 커진다.
이렇게 자기 인생의 행복에 자기의 책임감 그리고 자기의 선택이 굉장히 중요해졌다.

1인 미디어에 열광하는 Z세대는 많은 매체를 통해 다른 사람과 비교를 하면서 더 불행해지기 쉬운 세상이다.
물질적으로는 풍요로워졌지만 정신은 빈곤하기 쉬운 세상,
부모가 많은 것을 주는데 아이가 행복하기 어려운 세상이다.

이렇게 자신의 행복에 자기 자신의 선택과 행동 그리고 마음가짐이 중요하다.
그래서 아이들이 '열심히 공부만 해서 좋은 대학가면 행복해지겠지' 라고 생각하면 큰 착각일 수 있다.
행복은 좋은 대학에 가서 나중에 행복해지는 게 아니라 어릴 때부터 행복을 찾는 방법을 알아야 한다.
자기 할 일을 하면서 행복해지는 방법을 어릴 때부터 아는 아이가 그 행복의 힘으로 공부도 열심히 할 수 있고 크게 성장할 수 있다.

아이들이 행복을 느낄 수 있는 마음은 바로 '편안한 마음'이다.
따뜻한 표현으로 아이를 편한 마음으로 만들어 주어야 한다.
아이의 의견을 최선이 아니라도 받아 주는 게 중요하다.

편안한 마음을 만들고 대화를 시작하자. 무엇이든 받아들일 수 있는 관계가 형성되는 것이다.

음악 하브루타 책은 음악으로 부모와 자녀 모두 행복하기를 바라는 마음에서 쓰게 되었다.
음악은 누군가가 전해줄 수 있는 것이 아니라 내 마음에 감동을 주어야 전달될 수 있는 것이다.
어느 장르의 음악이건 음악은 사람들에게 행복과 즐거움을 안겨주는 점은 같다.
음악은 자기성찰과 감정 조절 능력을 키우는 데 도움을 준다. 음악을 통해 자신의 감정을 표현하고 공감하는 과정에서 자기를 돌아보고 감정을 조절하는 데 도움이 되었으면 한다.

음악을 하브루타 한다고 할 때 궁금한 게 많을 것이다.
음악과 유대인 교육법 하브루타의 공통점은 둘 다 소통을 통해 더 큰 이해를 이끌어내고, 개인과 개인 사이의 연결을 강화한다는 것이다.
자녀들에게 창의적인 역량을 최대한 발휘할 수 있도록 여건을 만들어 주자.
스스로 답을 찾을 때까지 기다려 주는 하브루타 교육의 장점을 활용해 우리 자녀의 뇌를 깨치고 속마음을 이해하고 함께 나눌 수 있는 좋은 부모가 되었으면 하는 마음이다.

음악 하브루타의 실습은 아주 재미있는 경험이 될 것이다.
짝은 어느 누구와 함께 하여도 좋다.
한두 번의 음악 하브루타 경험도 충분히 귀한 경험이다.
꼭 실천해 보길 바란다.

이 책을 쓸 수 있게 응원해 준 가족 모두에게 감사드리고,
책을 기다려 준 모든 이에게 감사의 마음을 전한다.

flutist 양일지

제 1화

음악으로 인재 키우기

Chapter 1
부모가 먼저 알아야 할 음악 교육의 비밀

'악기를 왜 배워야 하나요?'

이 질문에 어떻게 대답할 것인가
아이들은 태권도 학원 피아노 학원은 그냥 다니는 곳, 친구따라 다니는 곳이라고 생각한다. 부모도 다르지 않다.

오랫동안 음악 교육을 연구한 수많은 음악 관련자들은 음악은 과학이고 음악은 '뇌'자체라는 것을 피부로 느껴왔다.
하지만 학부모들은 음악의 중요성을 쉽게 지나쳐 버린다.
특히 코로나19 이후 음악 교육은 거의 침체기에 접어들었고 많은 대학에서 클래식 전공과가 사라지고 있다.

교육이 온통 영어 수학 과학 언어라는 공통 관심사에 집중되어 있고 공부를 안 하고 못 하면 사회에서 도태되는 것처럼 포커스를 맞출 뿐 진정한 인간 교육에 대해서는 관심 밖이다.
국.영.수 잘해서 좋은 대학에 가야지 음악 교육이 무슨 소용이 있겠는가?
음악 교육이 이렇게 간과되어도 되는 것일까?

예술은 한 사람의 인생이나 인간성을 좌지우지할 만큼 영향을 끼친다. 예술을 배제한 교육을 받고 자란 아이들이 다음 세대 주인이 되었을 때를 생각하면 걱정이 앞선다.
평준화된 교육 안에서 틀에 박힌 사고를 할 수밖에 없는 성적 위주의 교육 현실에서 더 유연하고 창의적인 사고를 할 수 있는 방법이 바로 예술 교육이기 때문이다.

<예술교육>

*하버드는 음악으로 인재를 키운다

세계적인 명문 대학에서는 음악 미술 문학을 인문학으로 배운다. 하버드, 스탠퍼드, 예일, 메사추세츠 공과대학을 가보면 복도, 정문 앞, 콘서트홀 곳곳에 연주하는 학생을 만날 수 있다. 미국 대학에서는 단순한 동아리 활동이 아닌 음악이 학점으로 인정되고 학생들의 일상이 된다.

점차 인문학의 중요성이 높아지면서 그 속에 음악과 예술은 더욱 중요해지고 있다.
전문적으로 음악을 배우는 것뿐 아니라 교양으로서 음악을 배우는 것까지 포함하여 '음악을 접한다는 것은 무엇인가!'를 새롭게 인식하고 있다는 것이다.

콜롬비아 대학은 서양 음악사를 배우면서 다양한 음악 어휘와 음악가들의 사상과 예술세계를 접해보는 음악 인문학 수업을 한다.
뉴욕 대학은 음악을 통해 역사를 배운다. 고대부터 현대까지 음악과 예술 작품이 어떻게 반영 되어왔는지 예술을 통해 진정한 세계화란 무엇인가를 묻는다.
음악과 예술이 시대마다 표현이 어떻게 변화하여 서로에게 어떤 영향을 주었는지를 파악하는 사회적인 관점이 나는 너무 인상적이었다.

메사추세츠 공과대학(MIT)은 과학 중점 대학이지만 예술 교육에 힘을 쏟고 있다.
교양으로서의 음악 수업뿐 아니라 연주 실기 수업도 알차게 구성되어 있다. 오케스트라 실내악 재즈 밴드 등 1년 내내 연주가 많다. 연주하면서 작곡된 시대나 문화적 배경을 같이 의식 높게 배우게 되는 것이다.
이렇게 어느 정도 음악 경험이 있는 학생들은 음악학 연구 리포트나 논문을 읽고 자신의 프로젝트에 융합하고 예술적으로 만들도록 한다. 결국 음악과 예술이 인간 형성에 중요한 역할을 수행할 뿐만 아니라 스스로 생각하고 창조하는 것이 얼마나 중요한지 새삼 느끼게 된다.

<하버드대학교 레드클리프 오케스트라>

하버드 의과생은 공부만 할 것 같지만 연간 이수과목을 보면 하버드 레드클리프 오케스트라와 음악 관련 여러 단체에서 봉사 활동도 많이 한다.
미국 대학에서는 공부 이외의 과외활동을 중시하고 이런 경험을 한 학생들은 자기가 악기 연주를 한다는 것에 무한 감사를 느낀다.
이것은 해본 사람만이 느낄 수 있는 감정이다.

나는 과천 외국어 고등학교에서 학생들을 5년 넘게 플룻 악기를 가르치고 있다.
언어를 잘하는 아이들이어서 음악을 잘할까? 아니면 음악을 잘하는 아이들이어서 언어를 잘할까? 이건 아마 '닭이 먼저다, 달걀이 먼저다'라는 이야기와 다르지 않다.

나는 매년 아이들과 만날 때 어떤 악기를 배웠으며 좋아하는 음악 그리고 절대 음감 이야기를 꼭 나눈다.
대부분의 아이들은 피아노는 기본이고 악기 하나를 집중 있게 오래 배운 아이들이다.
참고로 음악을 전공했다고 해서 절대 음감이 되지는 않는다.
음대생 가운데에도 절대 음감 음악가들은 찾기 드물다.
그런데 외고 아이들 중에는 플룻반 10명 중 한 명은 절대 음감이라는 것이다. 작년 어떤 친구는 뒤돌아 있고 다섯 손가락으로 음을 눌렀는데 모두 맞춰주어 깜짝 놀랐다.

일부 아이들은 음악적인 능력이 뛰어나기 때문에 언어적인 표현이나 읽기, 쓰기 등의 언어 활동에서도 능숙할 수 있다.
음악은 리듬, 멜로디, 음정 등의 다양한 요소들을 이해하고 구성하는 능력을 요구하기 때문에, 이러한 능력이 언어 활동에도 긍정적인 영향을 줄 수 있다.

이렇게 어려서부터 음악 환경을 만들어 주고 음악을 접한다는 게 얼마나 중요한지 그 소중함을 실감하게 된다.

<미국 아이비리그 대학교 오케스트라 연습>

Chapter 2

음악이 아이에게 가져다주는 놀라운 변화

인간은 감정 사랑 신앙 사상 자연 아름다움 등 다양한 것들을 음악이라는 형태로 표현한다.
음악을 배우는 것은 인간의 계승해 온 지식과 감정을 음으로 접하는 것이다. 그 시대마다 표현 방법은 달라도 인간의 본질은 변함이 없다.

많은 사람들은 음악이 주는 영향을 잘 모르고 있다. 음악은 인간의 뇌 기능을 촉진시키는 엄청난 효과를 갖고 있고, 영혼을 울리는 신의 선물이 분명하다.

*음악이 주는 영향

음악은 듣는 것과 직접 연주하는 것으로 나뉜다. 음악을 듣는 것만으로도 스트레스를 해소하고 긍정적인 감정을 불러일으킬 수 있다.
음악은 우리의 일상생활에서 즐거움과 행복을 창출하는 중요한 요소이다.
우리는 감정과 정서를 표현하고 공유하는 도구로서 음악을 사용한다. 아름다운 멜로디와 가사는 우리에게 위로와 위안을 주고, 행복하거나 슬픈 감정을 공감하며 표현할 수 있는 수단이 된다.

음악을 접할 때 유아들은 동요를 부르고, 청소년들은 가요 팝송 랩을 듣고 따라 한다. 청년들은 교회 음악이나 각자 좋아하는 음악을 즐기고, 어른이 되면 음악을 들으며 추억에 잠긴다. 또 노인들은 아리랑 노래를 들으며 눈물을 흘리고, 옛 노래를 따라 부르며 흥겨워한다.

이렇게 음악을 즐기고 감상하는 것은 우리에게 많은 의미와 장점을 제공하고, 우리의 삶에 풍요로움과 만족감을 더해줄 수 있는 소중한 활동이다.

*악기를 연주하는 건 어떤 도움이 될까?

'음악 교육과 뇌의 연결'을 담은 뇌기능 발달 내용 연구 결과가 발표되었다.
이들 논문에서 보면 악기를 연주하는 연주인의 손가락 움직임이 뇌에 미치는 영향은 높다.
또한 악보를 보면서 악기 연주를 할 때 집중력에 미치는 영향은 뇌를 끊임없이 향상시킬 수 있다는 걸 알 수 있다.

인간의 뇌 조직 뉴런은 다양한 회로를 구성하면서 인간의 감정과 깊이 있는 사고를 하게 되는데 이때 뉴런의 회로를 늘리기 위해서는 두정엽의 우뇌 좌뇌를 끊임없이 자극을 해야 한다.

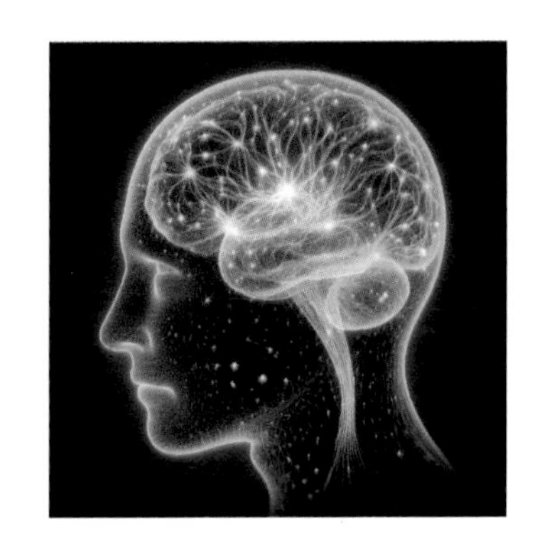

이 두정엽은 손가락과 연결되어 있는데 악기를 계속해서 연주를 하면 회로가 증가하게 되는 것이다.
우뇌는 사람의 감성을 발달시키고 좌뇌는 창의적이고 논리적인 지능을 발달시키는데 이는 손가락을

많이 사용하는 악기를 연주하게 되면 모두 발달된다는 결론이다.

위의 결과를 보았을 때 음악을 감상하거나 악기 연주를 한다는 건 선택이 아닌 필수가 되어야 한다.

특히 클래식 음악이 주는 영향은 식물 실험에서 알 수 있다. 그린(green) 음악을 듣고 자란 식물의 성장 속도가 다른 음악을 들은 식물보다 훨씬 빠르다. 그린(green) 음악은 바로 클래식이다.
이런 실험 결과 발표 이후 동물도 클래식 음악을 들려주었을 때 더 건강하고 젖을 많이 생산한다는 연구 결과도 나왔다.

클래식 음악은 오랜 역사와 전통을 가진 예술 형식이다. 그 시대의 작곡가들이 음악에 대한 아름다움과 깊이를 전달한다. 클래식 음악을 감상하면서 우리는 진정한 예술의 경험을 할 수 있으며, 예술적인 감동과 감사를 느낄 수 있다.

저희 어머니는 피아노를 전공하셨고 아버지는 노래와 하모니카를 즐겨 부르셨다. 고모 다섯 분 모두 피아노, 성악, 무용, 예술을 전공하셨고 클래식을 무지 사랑하시는 분들이다.
이런 환경 속에서 가족 모임을 하면 늘 노래와 연주는 빠지지 않고 연주회 하듯 음악회 아닌 음악회가 열린다.
지금 생각해 보면 프랑스의 살롱 문화가 이렇지 않았을까 싶다.
환경이란 건 무섭게도 우리 자녀들 뼛속까지 스며들어 그 자녀들 또한 음악 전공자들이 많고 음악을 사랑하며 행복하게 살고 있다.

나는 음악 전공자로서 어떻게 해야 아름다운 음악이 가지는 잠재 가치를 알려 많은 사람에게 여유로운 인격 형성과 인생 전반에 도움을 줄 것인가를 고민한다.

클래식이 어렵게만 느껴지는가?
음악 하브루타 책에서는 다양한 클래식을 아이들과 함께 할 수 있게 도움을 주고자 한다.
음악과 가까워지는 시간이 되었으면 하는 바람이다.

*음악을 배우며 교양을 배운다

예술 중심의 교육 목적은 개인의 지적이고 분석적인 능력을 함양하는 것이고, 이는 심미적인 학습 중에서도 특히 음악을 통해서 발달된다고 한다.
플라톤은 음악을 윤리와 미학의 영역에 속하는 예술로서 인간의 성장과 교양에 큰 영향을 미친다고 믿었다.

'교양 있다' 이런 말을 들었을 때 느낌이 어떠한가?
왠지 내가 우아해진 느낌이 들지 않은가?
아마도 많은 사람이 공감할 것이다.

'교양이 있는 사람'에 담긴 의미는 타인과 교제 시 세련된 말투나 태도를 가진 사람을 의미한다.
교양은 개인이 의당 가져야 하는 여러 분야의 일정 수준의 지식이나 상식을 말한다. 또한 고전 문학이나 예술 등의 수준 높은 문화에 대한 조예가 있어, 개인의 품위와 인격에 반영되고 사물에 대한 이해력과 창조력에 영향을 주는 상태를 말하기도 한다.

음악 교육은 아이에게 긍정적인 인성을 갖춘 사람으로 성장시킨다. 음악을 감상하고 신체 표현을 하는 예술 프로그램을 실시한 아이들이 자기표현과 자신감이 증진된다.

인간의 발달은 독립적으로 이루어지지 않기 때문에 아이들은 음악과 놀면서 다른 분야와 조화를 이루며 전인적인 인격체 형성에 도움이 된다.
어린 나이에 음악 교육이 더욱 필요한 이유는 더 쉽게 인지될 수 있기 때문이다.

어릴 때 접하지 않으면 점점 커가면서 접하기 어려운 것이 음악 교육이다. 가능하면 어릴 때부터 시작하면 좋다.

음악을 꼭 진로로 정하지 않더라도 경험을 해본 것과 아닌 것에 대한 차이가 분명히 있다. 특히 점점 평준화되고 있는 틀에 박힌 사고를 할 수밖에 없는 지금의 교육 현실에서 더 유연한 사고를 할 수 있는 방법이 음악교육이다.

음악을 배우고 연주하는 과정을 통해 우리는 문화와 예술에 대한 이해를 넓히고, 감성과 창의력을 키우며, 소통과 협력의 능력을 발전시킬 수 있다.
따라서, 음악교육은 교양을 만들어 주는 소중한 교육 분야이다.

*악기 연주는 인내와 자제력을 기른다.

음악은 시간 예술이다.
한 악기로 음악을 연주할 때 일정한 시간이 흘러야 곡이 완성된다. 특히 다른 악기와 연주할 때는 소리를 듣고 내 악기를 연주해야 하는 순서의 개념이 강조되기 때문에 자제력을 길러준다.
한 곡을 연주하기까지 긴 시간을 연습해야만 곡을 완성할 수 있다는 점에서 그 어떤 교육보다 인내심을 기를 수 있는 게 악기 교육이다.

음악 선생님들과 각자의 제자들 이야기를 나누다 보면, 악기를 배우고 연주하며 음악을 사랑하는 아이들은 사춘기를 심하게 앓지 않는다고 말한다.

이는 나도 이야기할 수 있다. 많은 제자들 중에 특히 음악을 사랑하고 좋아하는 아이들은 악기를 성인이 될 때까지 오래 배운다. 그 아이들이 커가는 걸 보면 정말 부모와 관계가 좋고 학교생활을 아주 적극적으로 잘한다는 것이다.

한 예로 초등학교 4학년 친구에게 플룻을 가르치게 되었다.
이 친구는 1년 정도 배워 5학년이 되었다. 그러나 악기는 좋아하지만 악보를 읽지 못했고, 외모만 신경 쓰는 아이처럼 보였다.
어머니도 아이도 그만둘 만도 한데 아이가 계속하겠다고 하여 꾸준히 레슨하게 되었다.

중학교 2학년이 되던 해 학교에서 발표회가 있었다. 무대에 서 보는 건 새로운 경험이었고 이제껏 꾸준히 해왔기에 가능한 일이었다. 곡을 정하고 레슨 시간도 많이 늘리고 연습도 정말 많이 했다. 무대에 서서 박수받고 꽤 좋은 평가도 받았다. 그때 그 친구의 기뻐하는 얼굴은 아직도 기억난다. 뭔가를 이룬 뿌듯한 얼굴!! 스승으로서 참 기뻤고 보람찼다.

아이들은 커가면서 스스로 결정하고 무언가를 이룬 경험은 참으로 중요하다. 스스로에게 자신감을 얻고 그 다음으로 달려가는 원동력이 된다.

몰입의 경험, 꾸준한 반복 훈련, 시간 관리와 계획, 무대에서의 경험은 아주 좋은 거름이 된다. 만약 이 아이가
“1년이 지났는데도 악보도 못 읽니?”
라는 식의 어머니의 핀잔이라든지
“나는 안돼.”
라는 생각으로 그만두었다면 좋은 결실을 맺지 못했을 것이다.

고등학교에 간 이 친구는 발표력도 뛰어나고 교우 관계가 좋았다. 선생님들께 인정받고 어려운 친구를 돕는 등 남들이 인정하는 멋진 학생으로 자라고 있다. 또한 스스로 인생을 고민하며 열심히 살아가고 있는 모습을 보면 대견하다.
지금도 이 아이는 악기를 배우고 있으며 대학을 준비 중에 있다. 꿈이 하나 있다면 오케스트라 연주자가 되는 게 꿈이라고 한다.

어렸을 때부터 음악 교육을 받아 음악에 대한 흥미를 가진다면, 자연스럽게 놀이로 즐길 수 있게 된다. 또한 중, 고등학생이 되어서도 스트레스를 풀 수 있는 방법을 찾을 수 있다.

과학적으로 보면 전두엽이 발달하지 않은 아이들은 인내심과 자제력이 없는 것이 특징이다. 하지만 악기를 끊임없이 연주하는 아이들은 손가락 운동이 전두엽 발달을 촉진하기 때문에 다른 아이들보다 인내력이 높다.
악기를 배워야 하는 이유가 바로 여기에 있다.

Chapter 3

창의력과 상상. 그 시작점은 '음악'입니다

음악 교육의 가장 중요한 효과 중 하나는 창의성이다.
창의성이란 문제를 풀어나가는 능력과 함께 새로운 창조물을 만들어 내는 능력이다.
한 영역에서 새로운 의문을 만들어 내는 능력으로, 지능과 결합해 창의성이 발휘됨을 말한다.
꾸준한 음악 활동은 인지, 정서 그리고 창의력에 영향을 준다.

특히 어릴 때 판단과 사고를 담당하는 전두엽이 발달하고 인간성이 길러지는데 이때 암기 교육보다는 다양한 교육을 통해 아이의 창의성과 표현력을 발달 되도록 해야 한다.
음악 프로그램을 통한 예술의 다양한 분야와 창의적 표현은 아이의 감성 및 자아 발달에 긍정적인 영향을 미친다.

*음악 교육이 아이의 창의성을 높이는 원리

왜 창의성을 배우는 학원은 없을까?

만약 창의성이 배워서 키워지는 거라면 바로 뛰어들어 창의력을 키우는 학원이라고 간판을 걸고 많이 만들었을 것이다.

요즘 아이들은 스마트폰을 통해 유튜브를 시청하거나 영어 수학 학원에 가서 공부를 많이 하고 있다. 자유롭게 자아 표현을 하고 상상 놀이를 할 시간이 많이 주어지지 않는다.

음악 교육은 창의성을 높이는 데 많은 영향을 미친다.
규제 없는 상상력으로 자유롭게 활동해야 창의성이 키워진다. 창의성은 후천적으로 얼마든지 키울 수 있다.

창의성은 개인의 경험과 배경, 지적 호기심, 환경 요인 등에 영향을 받으며 계속해서 발전한다.
악기를 배울 때 연주 과정에서 음악적인 문제를 해결하고
새로운 연주 방법을 찾는 과정은 우리의 문제 해결 능력을 향상시킬 수 있다.

악기를 배울 때 소리 만들기를 먼저 배우고 곡을 배우기 시작한다. 명곡집에는 많은 클래식 곡들이 들어있고, 클래식 음악은 복잡하고 다양한 구성 요소를 포함하고 있다.
풍부한 멜로디와 조화로운 하모니, 다양한 감정을 담은 작품들로 구성되어 있다.
이런 작품들을 처음부터 멋지게 연주하기는 어렵지만 인내를 가지고 하나씩 해결하다 보면 한 곡씩 완성이 되면서 문제 해결 능력을 배우게 된다.
음악은 정답이 있지 않기 때문에 나만의 음악을 만들면서 문제 해결 능력을 배우고 아이디어를 형성한다. 문제를 해결하면서 인사이트를 얻을 수 있으며, 이를 통해 우리의 창의적인 사고 방식을 만들 수 있다.

이것은 연주하는 것뿐만 아니라 음악 감상으로도 가능하다.
듣고 느끼면서 우리는 창의적인 아이디어를 얻을 수 있으며, 예술적인 영감을 받을 수 있다.

클래식 음악은 복잡하고 다양한 구성 요소를 포함하고 있어서 이를 듣고 해석하려면 집중력과 주의력이 요구된다.
클래식 음악을 들으면서 음악의 구조와 조화, 리듬 등을 이해하고 해석하는 과정은 우리의 인지 능력과 창의력을 향상시키는 데 도움을 줄 수 있다.

미국의 MIT 교수 커즈와일 박사는 하루에 수십 가지의 비타민을 복용한다. 그가 그렇게 비타민을 많이 복용한다는 사실 외에도 또 놀라운 사실은 바로 신디사이저를 최초로 개발했다는 사실이다.
커즈와일은 비타민과 같이 평생 복용해야 할 무형 비타민이 바로 '음악'이라고 이야기한다.
커즈와일은 음악을 매우 좋아했다.
그는 어릴 적부터 음악에 대한 관심과 열정을 가지고 있었고, 음악에 대한 탐구와 실험을 즐기는 사람이었다.

<레이몬드 커즈와일>

전자 음악의 가능성과 음악적 표현의 확장에 깊은 관심을 가지고, 자신만의 독특한 음악적 스타일을 구축하려고 노력했다.
그의 음악적인 관심은 후에 그가 신디사이저를 개발하는 데 큰

영감을 주는 요소가 되었다.

신디사이저는 커즈와일의 '더 편하게 음악을 만들 수는 없을까?'라는 음악 창작에 대한 생각에서 만들어졌다.

<신디사이저>

신디사이저는 음악을 만들거나 연주하는 데 사용되는 전자 악기이다. 신디사이저는 다양한 음색과 효과를 만들 수 있어서 음악 작곡가나 음악가들에게 많은 창작 자유를 제공한다.

커즈와일은 음악을 사랑하는 음악인이자 기술자로서 그의 음악에 대한 열정과 노력은 전자 음악의 발전과 현대 음악 문화에 큰 영향을 미쳤다.

이렇게 음악은 우리의 사고를 자유롭게 하고, 새로운 관점을 만드는 데 영향을 준다. 나아가 우리의 상상력과 창의력을 자극하며, 문제 해결에 창의적인 접근을 할 수 있도록 도움을 주는 것은 덤이다.

*음악과 생각(상상)의 관계

음악과 생각은 밀접한 상관관계를 가지고 있다.
음악은 우리의 사고 과정과 감정, 정서에 큰 영향을 준다.
우리의 감정을 공감하고 이해하는 데 도움을 주며, 우리의 정서를 안정시키고 조절하는 역할을 한다.

음악은 우리의 내면세계를 표현하는 강력한 매체로 작용한다.
우리는 음악을 통해 슬픔, 기쁨, 분노, 사랑 등 다양한 감정을 표현하고 공유할 수 있다.

'고대 수학자나 철학자들은 모두 대단한 음악가였다는 사실을 아는가?'
소크라테스, 플라톤, 피타고라스 등 정신세계를 이끌어가는 이들 모두 음악을 중요한 개념으로 꼽았다.
플라톤은 그의 대표작 '국가론'에서 음악에 대해 많은 것을 이야기한다.
음악은 인간의 정신을 균형 있게 만드는 중요한 요소로, 덕목을 기르는 데 중요한 역할을 한다고 이야기한다. 플라톤은 특히 젊은이들이 훌륭한 음악을

들음으로써 아름다운 것에 대한 사랑과 정의를 배울 수 있다고 주장한다.

그는 또한 음악이 교육에서 중요한 위치를 차지한다고 강조했는데, 이는 음악이 정신적인 균형을 이루는 데 큰 도움이 된다고 믿었기 때문이다.
플라톤은 음악을 통해 인간의 덕목을 함양하고, 영혼의 조화를 이루며, 더 나은 삶을 위한 기반을 마련할 수 있다고 믿었다.
하지만 음악의 모든 형태를 긍정적으로 받아들이지는 않았다.

조성이라고 하는 Major(장조)와 minor(단조)는 세상의 분위기와 위계질서나 사람 마음의 결속력 등을 만드는 요소로 삼았다.
당시 minor의 음악은 사람의 마음을 우울하게 하고 나태하게 만든다는 이유로 금지되었다.

플라톤은 특정한 형태의 음악, 특히 너무 감정적이거나 마음을 해이하게 하는 방탕한 음악이 도덕적 악영향을 초래할 수 있다고 경고했다. 그래서 그는 음악이 교육적 목표에 부합하는 형태로 제한되어야 한다고 주장까지 한 것이다.

이렇게 고대부터 음의 소리와 정신성이 밀접하게 연결되어 있다고 믿었다.
음악은 우리의 상상력과 창의력을 자극하며, 특히 악기 연주나 작곡과 같은 음악적 활동은 문제 해결과 창의적인 사고에 도움을 줄 수 있다.

따라서, 음악과 생각은 서로 긴밀하게 상호작용하며, 음악은 우리의 사고 과정을 활성화시키고 감정과 정서를 표현하는 데 큰 역할을 한다.
음악을 통해 우리는 사고력과 창의력을 향상시킬 수 있으며, 감정적인 경험과 연결하여 더 깊은 이해와 표현을 할 수 있게 되는 것이다.

Chapter 4
관계 맺기. 그 첫걸음은 솔직한 속마음에서부터

자녀와의 관계는 어떠한가?

아이와 좋은 관계를 형성하고 유지하는 것은 여러 가지 이유로 중요하다.
부모와 좋은 관계를 형성한 아이는 안전하고 지지받는 환경에서 자신감과 정서적인 안정감을 갖는다.
아이와의 소통을 통해 서로를 이해하고 존중하는 관계를 형성하면, 아이는 자신의 감정을 표현하고 이해하는 방법을 배우게 된다.

*아이와 관계 맺기 원칙

나는 자녀와 관계가 아주 좋다.
고2 큰딸은 엄마를 걱정해 주는 든든한 딸이고, 중2 아들은 엄마를 아끼고 사랑하며 안아주는 따뜻한 아들이다.

나의 자녀 교육 원칙은
"아이의 머리와 손발이 되어 주지 말자"이다.

잔소리를 안 하려고 노력하고 내가 생각하는 바람직한 행동은 할 때까지 알려주고 기다리는 편이다. 조금이라도 시행착오를 겪지 않게 내 생각을 강요한다거나, 답답하다고 먼저 말로 다그치지 않아서일까? 아이들은 스스로 아침에 일어나서 학교 가고, 스스로 무엇을 좋아하는지 생각하며 각자 자기가 해야 할 것이 무엇인지 결정하고 행한다.

아이와의 관계를 건강하고 좋게 유지하기 위해서는 몇 가지 원칙을 따르는 것이 도움이 된다.
아이와의 관계를 좋게 유지하는 방법을 알아보자.

첫째, 교사가 아닌 엄마

아이들은 교사가 아닌 엄마를 원한다.
엄마가 교사의 역할을 하려 하면 아이는 정체성에 혼란이 오고 여러 가지 갈등이 일어나는 원인이 되기도 한다.

아이와의 관계에서 엄마와의 소통은 매우 중요하다.
아이의 감정과 생각을 이해하려고 노력해야 된다.
아이가 말하고자 하는 것을 경청하고, 이해하려는 자세를 갖는 것이 중요하다.
아이들을 가르치지 말라는 말이 아니다.
교사로 접근하지 말고 아이들이 엄마로 인식하도록 노력하라. 그래야 서로가 행복해진다.

둘째, 시간과 관심

아이와 함께 보내는 시간은 관계를 강화시키는 데 큰 역할을 한다. 아이가 좋아하는 놀이에 참여하며 관심을 기울이고, 아이의 성장과 발달에 관심을 갖는 것이 좋다.
엄마가 바라는 것보다 아이가 필요로 하는 것이 무

엇인지 알고 안정감을 제공하는 것이 중요하다.

셋째, 섬기는 엄마

아이와의 관계에서 예의와 존중은 반드시 필요하다. 아이를 존중하고, 아이의 감정과 경험을 존중하는 것은 아이와의 신뢰를 형성하고 긍정적인 관계를 유지하는 데에 큰 도움이 된다.

먼저 엄마의 언어가 바뀌어야 한다. 명령보다는 부탁하는 말을 하자. 그때 아이의 선택권이 생기고 주도성이 자란다.
사소한 것에 관심을 갖고 아이의 마음에 공감의 메시지를 주자.
이 모든 것들이 신뢰를 쌓는 방법이고 아이를 큰 사람으로 키우는 섬기는 부모의 모습이다.

넷째, 긍정적인 격려

부모의 관점은 변화가 필요하다.
'어떡하면 아이가 열정을 갖고 열심히 할까?'
아이들이 무엇이든 적극적으로 열심히 하기를 바라는 마음은 모든 엄마들의 마음일 것이다.

작은 성취라도 아이를 인정하고 격려하는 것은 아이와의 관계를 강화시키는 데에 중요하다.
아이의 노력과 성과를 인정하고, 격려의 말과 긍휼의 마음으로 대하면 아이는 자신감과 긍정적인 자아 개념을 형성할 수 있을 것이다.

이러한 원칙을 가지고 아이와의 관계를 지속적으로 발전시키고 유지하는 데에 노력해 보자.
나만의 교육 원칙을 정해 보는 것도 도움이 될 것이다.

★부모가 솔직해지는 마음 원칙

엄마들의 솔직한 속마음은 아이와의 관계를 더욱 건강하고 긍정적으로 만들어 줄 수 있다.
자신의 감정과 필요를 솔직하게 표현하고, 자기관리에 신경 쓰는 것은 아이와의 관계에서 서로 이해와 소통에 아주 중요하다.
몇 가지 원칙을 정해서 실천해 보자.

첫째, 나만의 시간 갖기

엄마들은 자신을 위한 시간을 보내는 것이 중요하다.
아이의 양육과 가사에 힘쓰는 동안에도 엄마들은 자신의 욕구와 필요에 충족시킬 수 있는 시간을 가질 필요가 있다.

자기 스스로에게 관심을 기울이는 것이 필요하다.
신체적, 정신적으로 휴식을 취할 수 있는 방법을 찾아보자.

둘째, 적당한 거리 유지하기

아이들이 크면 엄마가 뭔가 도와주고 싶어서 가까이 가면 알아서 하겠다고 한다.
그러면 엄마들은 무지 속상해한다.
오히려 자녀와 가까운 관계를 유지하기 위해서는 아이들의 공간을 인정해 주는 것이 먼저이다.

집에서 자녀의 방문을 열 때 노크를 한다든지 엄마의 눈이 CCTV가 아닌 따뜻하게 바라봐 주는 것이 마음을 표현해 주는 것이다.
이러면 필요한 때에 도움을 요청할 수 있는 마음이 생길 것이다.

이런 경험을 통해 스스로 깨닫고 일어서는 법을 배우게 된다.
엄마들은 한 발만 뒤로 물러나 기다리며, 자기관리와 휴식을 중요시하면 된다.
스트레스를 해소하고 신체적, 정신적으로 휴식을 취할 수 있는 방법을 찾아보고, 자기 스스로에게 관심을 기울이는 것이 필요하다.

셋째, 엄마가 먼저 행복하기

자녀교육에 대한 고민을 할 때 안 그래야지 하면서도 끊임없이 주변의 아이들과 비교하고 좋은 학교, 좋은 학군을 선망하게 된다. 그것이 아이들의 성공을 보장한다고 믿기 때문일 것이다. 이런 엄마의 마음 불안은 오히려 학습 동기와 효율을 떨어뜨리는 원인이 된다.
엄마의 불안은 아이를 불행하게 만들기 때문이다.
우리 아이를 다른 아이와 비교하지 말고 자녀에게 긍정의 메시지를 주면서 엄마의 삶이 먼저 행복해져야 한다.

아이들은 부모의 뒷모습을 보고 자란다.
부모가 행복하면 아이들도 행복할 가능성이 15% 증가한다고 한다.
하는 일이 무엇이냐와 관계없이 그 일을 즐겁게 하는 것은 행복한 삶을 살기 위해 꼭 필요한 자세일 것이다.
아이들도 자기 일을 즐겁게 할 수 있는 태도를 배울 수 있게 부모님들이 행복을 전염시켰으면 좋겠다.

엄마의 행복이 아이에게 줄 수 있는 가장 큰 선물임을 잊지 말자.

우리 엄마들 모두 자신을 위해 살아가길 바란다.
엄마의 행복한 삶이 곧 아이의 행복이다.

행복한 엄마들의 솔직한 속마음은 아이와의 관계를 더욱 건강하고 긍정적으로 만들어 줄 것이다.
유대인들의 교육법 하브루타는 이 관계 유지에서부터 시작한다.

제 2화

하브루타란? 그 강력함을 안다면

Chapter 1
유대인 교육법에서 배우는 학습 전략

유대인들은 세계 인구의 0.25% 밖에 안 되는 인구로 세계의 정치, 경제, 문화, 예술의 중심이 되었다.

세계에서 가장 많은 노벨상을 석권하고 있고 유대인의 영향력은 대단하다.

그만큼 유대인은 특별하다.

그러나 유대인이 머리가 좋아서 그렇게 된 것이 아니다.

그들이 세계의 중심이 된 것은 그들의 독특한 교육법인
대화와 토론 중심의 하브루타(Havruta) 교육이 있기 때문이다.

*유대인 하브루타

유대인의 역사적 배경을 보면 서기 70년 경에 로마에 의해서 나라가 사라지게 된다.
나라가 사라졌다는 건 영토 땅이 없어지고 주권이 없는 국민만 남은 상태인 것이다.
유대인들은 정체성을 잃지 않기 위해 자녀들에게 교육을 열심히 했다.
'우리는 유대인이야‘ '우리는 하느님이 선택한 민족이야‘ 끊임없이 지속적으로 가르쳤다. 이런 시간들이 유대인에게 정체성을 깊이 만들어 주었고 그 정체성은 공부의 동기를 확실하게 만들어 주었다.

이때 사용한 공부 방법이 바로 하브루타이다.

유대인의 하브루타는 종교를 떠나서는 이야기할 수 없다. 이렇게 하브루타로 토라와 탈무드를 끊임없이 이야기하면서 엄청난 지혜가 쌓였다.

<토라>

특히, 이 교육법의 근간은 가정이다.

아이들은 어릴 때부터 부모와 지속적으로 대화와 토론을 하면서 하브루타를 몸소 체득한다. 그리고 이를 바탕으로 사회에서 여러 가지 문제를 해결해 나가는 사고의 확장과 설득의 능력을 가지게 된다.

우리나라에서 말하는 하브루타는 종교적 색채를 뺀 학습법이라고 생각하면 된다.

*하브루타란?

하브루타란 짝과 대화, 질문, 토론, 논쟁하는 교육을 말한다.

원래 하브루타란 “하베르”라는
히브리어(고대 이스라엘)에서
유래한 용어로 '친구'라는 뜻이다.
하브루타는 짝을 지어 함께
이야기를 나누는 것이다.
그럼 카페에서 그냥 이야기
나누는 것은?
일반적으로 나누는 대화는
하브루타가 아닐 수도 있다. 공통된 텍스트가 없기 때문이다.

유대인은 성경 토라와 탈무드를 어린 시절 암송하고 이를 부모나 스승과 하브루타를 하는 것이다.
하브루타는 고립되어 혼자 공부하는 것이 아니라 토라(탈무드)의 해석을 놓고 서로 모여 토론하고 논쟁하며 의미와 교훈을 파고 들어가는 유대인들의 전통적인 학습 방법이다.

주제를 가지고 아버지와 아들이 이야기 나누고, 선생님과 학생이 이야기 나누고, 친구끼리 이야기 나누고, 동료와 이야기 나누는 과정에서 그 주제 이야기가 전문적인 이야기가 된다.

주고받는 대화에서 내용이 좀 더 깊어지면 토론이 되고, 더 깊어지고 전문화되면 논쟁이 된다.

누군가를 가르치는 것만큼 효율적인 공부 방법은 없다.
배울 때의 자세보다 가르칠 때의 자세가 더욱 능동적일 수밖에 없다. 남을 가르치기 위해서는 훨씬 체계적이고 논리적으로 정리를 해야 한다.
한 명은 선생님이 되고 다른 한 명은 학생이 되어 어떤 주제에 대해 토론을 하고, 또 선생님과 학생이 서로의 역할을 바꾸어서 토론하기도 한다.
이 과정에서 각자의 의견을 상대방에게 설득하기도 하고 상대방의 의견을 수긍하고 자신의 의견을 굽히고 설득 당하기도 한다.
이러한 과정을 통해 정확하게 알지 못했던 것을 알게 되고 그 내용들을 명확하게 이해하게 된다.

하브루타는 한국의 주입식 교육과 정반대되는 교육이다.
유대인들은 내용의 습득은 중요하지 않다.
탈무드에 나오는 내용은 암기해야 할 대상이 아니라 토론과 논쟁의 대상이다. 하브루타는 교사 한 명이 주도하는 수업이 아니고 학생 주체적으로 함께 공부하며 대화하는 교육이다.
이런 대화라는 자연스러운 과정이 세계 최고의 인재를 만들어내는 교육이라는 사실이 놀랍다.

*하브루타 생각의 힘

하브루타는 두 사람이 대화를 하는 것이다 보니 두 사람이 각자 가지고 있는 지식을 서로 나누게 된다. 그런데 단지 지식 나눔으로 끝이 아니다. 이야기를 하다 보면 생각하지 못한 새로운 지혜를 얻을 수 있다는 것이다.
정말 하브루타를 통해 생각지도 못한 반짝이는 아이디어를 발견했을 때는 온몸에 전율을 느낀다. '생각 깨치기'라고 표현하면 더 실감이 날까? 알아가는 즐거움을 느낄 수 있다.

짝과 대화를 하는 동안 상대방의 의견을 경청하고 자기 의견을 이해시키기 위해 노력할 뿐만 아니라 서로 견해가 어떻게 다른지 알게 된다. 또 서로의 합의를 이끌어내기 위해 끊임없이 대화를 한다.
여기서 중요한 건 나와 의견이 다르다고 비난하거나 이기려고 하지 않는다. 하브루타는 경쟁이 아니라 협력이다.
누구나 생각이 다를 수 있다는 개성을 인정하며 생각을 나눈다. 그래서 하브루타의 짝은 서로에게 가장 소중하다.
이렇게 짝을 이루어 하브루타 학습을 하면 좋은 이유는 나와 다른 관점과 생각들을 많이 접할 수 있고, 그러다 보면 어떤 주제나 상황을 좀 더 다채롭게 바라볼 수 있는 안목이 생긴다는 것이다.

누구나 혼자 공부할 때는 나는 잘 알고 있다고 착각하기가 쉽다.
공부 주제에 대해 다른 사람과 이야기 나누다 보면 자신이 모르는 것을 설명할 수 없다는 것을 알 수 있다.
하브루타를 하면서 알게 된 것은 설명할 수 없는 것은 아는 게 아니라는 것이다.
내가 안다고 생각했던 것인데 설명하려니 말이 안 나왔다.

'아는 것과 모르는 것'을 인지하는 것, 바로 메타인지다.

메타인지는 우리 자신의 사고, 학습, 문제 해결 과정을 인식하고 조절하는 능력을 말한다.
자신의 생각과 행동을 인식하고 이해하는 능력을 키우면 성취를 이룰 수 있는 가능성이 높아진다.
따라서 메타인지는 개인의 학습과 발전에 매우 중요한 역할을 한다. 메타인지의 사고와 생각은 모든 학습의 기본이다.

갑자기 이런 말장난이 생각이 난다.

생각이란 생각은 생각하면 생각할수록
생각나는 것이기 때문에
생각이란 생각은 생각하는 것이
좋은 생각이라고 생각한다

딸이 옆에서 옛날 사람이란다.

옛날에도 생각은 중요했었나 보다.

간단한 대화는 생각이 없이도 진행될 수 있지만, 심도 깊은 대화는 생각의 힘이 필요하다. 생각의 힘을 자꾸 사용할 때 비로소 생각의 근육이 생기는 것이다.

생각의 근육을 키우는 방법이 바로 하브루타이다.

Chapter 2

적용해야 할 최고의 학습 방법인 하브루타

사람은 생각하며 생각의 근육을 키우며 살아가야 하는데 요즘 현대인들은 어느 순간 세상에서 가장 힘든 일이 생각하는 일이 되어버렸다.
간단한 계산조차 생각도 안 해보고 스마트폰에 물어본다.
생각의 깊이가 낮아지는 현대인은 즉각적으로 생각하고 행동한다.
그럼 깊은 생각을 하려면 어떻게 해야 할까?

바로, 질문이 답이다.

*질문의 힘

우리나라 교실을 생각해 보자.
수업 시간에 질문을 하면 수업 방해를 하는 사람이고 한국의 교사는 질문을 긍정적으로 보지 않는다.
'수업 시간에는 잘 듣기'만 하고 '밥 먹을 땐 조용히 ' 이렇게 배우며 자랐다.
우리에게 공부란 텍스트의 내용을 암기하고 이해하는 것을 의미한다.
한국 학생들에게 교과서는 이해하고 외워야 할 대상이다.
그래서 우리나라 교육을 주입식 교육이라고 이야기 한다.
선생님이 수업 시간에 이야기한 내용을 잘 기억하고 시험을 잘 치르는 사람이 모범생이 되는 것이다.

일반적으로 국어 성적은 높지만 탁월한 문학 표현이나 교양 있는 언어 구사력을 갖지 못하고, 과학과 수학 성적은 높지만 과학적 사고나 수학적 사고를 하지 못한다. 특히 예술 분야에서는 시험 성적은 높지만 작품에 대한 창작이나 감상 능력은 부족하다.

이런 우리나라 교육 현실은 오래전부터 알고 있었고 공교육에서도 바꾸려고 여러 시도를 하고 있다.

무엇인가 배운다는 것은 의문에 대한 답을 찾아가는 과정이다. 그래서 배움은 질문으로 시작해서 질문으로 끝나야 한다.
이제 막 말을 배우는 3살 전후의 아이들은 쉬지 않고 질문한다. 부모는 대답하기 지치게 되고 어느 순간 아이는 질문을 그치게 된다.
아이에게 말을 가르쳐 놓고는 말을 하면 시끄럽다고 한다. 사고가 자라는 걸 막는 것이라고 할 수 있다.

하브루타 교육에서 가장 중요한 것은 질문이다.

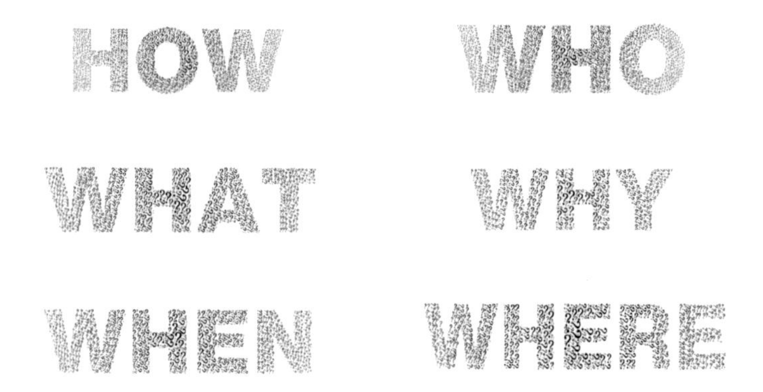

하브루타는 끊임없이 질문하고 토론한다.
질문이 있어야 호기심이 생기고 내적 동기가 일어나며 스스로 찾아서 공부하게 된다.
질문을 하기 위해서는 관찰을 해야 하고 다른 방향으로 생각해야 하며 끊임없이 뇌를 움직여야 된다.

질문은 아이들의 사고를 자극한다.
질문을 하려면 먼저 경청을 해야 한다.
자녀가 말을 할 때 중간에 끼어들지 말고 집중하자.
여기서 우리는 서로의 생각에 대해 열린 마음으로 경청하는 법을 배운다.
자녀와 대화할 때는 아이가 어떤 이야기를 하는지 잘 듣고 이야기를 시작하는 것이 아주 중요하다.
경청의 마음은 어디서 올까?
바로 아이 존중에서 온다. 이런 존중의 자세로 경청을 했다면 자녀와 질문을 시작하자.

* 질문 시작하기

아이와 짝이 되어 하브루타 시작할 때는 텍스트를 큰 소리로 읽고 질문을 만들어 보자.
텍스트에 집중하고 단어 하나하나의 의미를 질문하고 이야기 나눈다. 그리고 각자 텍스트를 어떻게 이해했는지 발표하고 상대방의 내용을 경청한다.
그 내용을 듣고 어떠한 질문이어도 좋으니 자유롭게 서로 질문을 시작한다.

「**질문하기**」

- 단어 뜻 질문하기:

'익명'의 뜻은 무엇일까?

- 내용 질문하기:

이야기의 배경은 어디야?

주인공에게 무슨 일이 일어났지?

- 상상 질문하기:

주인공이 왜 그런 말을 했을까?

주인공은 기분이 어땠을까?

주인공 A와 B의 입장이 바뀐다면 어떻게 될까?

-적용 질문하기:

내가 주인공이라면 기분이 어떨까?

내 주변에 등장인물과 비슷한 사람이 있을까?

-실천 질문하기:
책과 같은 문제가 발생하지 않도록 할 수 있는 것들은 무엇이 있을까?

-메타 질문하기:
갈등이 생기지 않게 미리 조심할 수 있는 방법은 없을까?

나는 어떤 점이 부족하고 어떻게 이를 개선할 수 있을까?

-의견 질문하기:

왜 그렇게 생각하니?

어떻게 하면 될까?

만약 대화 중에 모르는 게 있다면 모르는 것을 자녀 앞이라고 창피하다고 생각하지 말고 같이 찾아보고 알아가면 된다.
질문 만들기를 할 때는 답을 말하지 말고 질문만을 계속 만들기를 하는 것이 좋다. 답을 말하는 순간 정답을 추구하게 되고 더 이상의 사고의 확장은 멈춘다.

질문을 통해 자녀가 어떤 생각을 하는지 엿볼 수도 있고 우리 아이가 어떤 질문에 흥미를 가지는지 알 수 있다.
질문 만들기를 하다 보면 처음에는 뻔한 질문을 한다.
다음은 양질의 질문이 나올 수 있도록 질문을 많이 만들고 생각할 수 있게 기다려 주자. 질문을 많이 만들 수 있게 시간을 충분히 주는 것이 필요하다.

부모가 명심해야 하는 것은 아이가 하찮은 질문을 하더라고 질문에 공감해 주는 것이다.
그리고 아이가 궁금해하는 것에 대해 즉각적으로 알려주는 것은 좋지 않다. 아이 질문에 부모가 반문하여 아이 스스로 생각을 하도록 이끌어야 한다.
그러기 위해서는 부모도 자기 공부를 게을리하지 않아야 한다.

훌륭한 질문을 하기까지는 많은 훈련이 필요하다.
많은 질문을 하다 보면, 어느 질문이 효과적인지, 옳은 질문인지, 더 좋은 질문은 없는지, 다르게 질문할 수는 없는지 스스로 알게 된다.
스스로 질문하고 답을 찾아가는 것이 바로 하브루타이다.

*정답이 아닌 해답

미국의 한 회사 신입 사원 선발 면접에 나온 질문이다.

“당신은 지금 비바람이 강하게 부는 폭풍우 속을 운전을 하고 있습니다.
지나가는 도중에 길가에 서 있는 세 사람을 발견했습니다.
한 사람은 생명이 위급한 할머니이고, 다른 한 사람은 과거에 당신의 목숨을 구해준 생명의 은인이고, 나머지 한 사람은 당신이 꿈에 그리던 이상형입니다. 하지만 당신의 차에는 단 한 명만 태울 수 있다면 누구를 태우시겠습니까?”

이런 질문에는 정답이 있는 건 아니다.
하지만 대답에서 누구를 태우냐에 따라 그 사람의 우선순위가 무엇인지 알 수 있게 된다.

당신이 면접 자리에 있다면 이 질문에 어떤 대답을 하겠는가?

면접에 합격한 합격자의 답은 놀라웠다.

그는 생명의 은인에게 자동차 열쇠를 주고 할머니를 병원에 모시고 가게 한 후에 자신은 이상형과 남겠다고 했다.

은인에게는 은혜를 갚았고, 할머니를 병원에 모셨으니 생명을 구했고, 이상형과 함께 할 수 있는 시간을 만들었다.

보통 '한 사람을 누구를 태울 것인가? '
질문에만 집중하지 자신이 차에서 내린다는 생각은 못 한다.
문제가 발생할 때 일반적인 질문보다는
'차에 두 사람을 태울 방법은?
이라는 질문을 했다면 우리는 일반적인 답에서 벗어나 참신한 문제 해결을 할 수 있을 것이다.

세상에는 문제를 해결할 수 있는 여러 가지 방법이 존재한다.

정해진 답은 정답이고 풀어내는 답은 해답이다.
정답은 그 답이 아니면 틀린 것이고, 해답은 누가 어떻게 이야기하냐에 따라 다양할 수 있다는 말이다.
각각의 답들은 문제를 이해하는 다른 관점을 제공하며 기존의 생각 방식을 벗어나 새로운 방향에서 생각할 수 있게 된다.

해답을 찾는 과정에서 우리는 새로운 아이디어를 발견하거나 창의적인 해결책을 찾아내는 것이다.
이렇게 하브루타는 다양한 질문과 토론을 통해서 정답이 아닌 여러 가지의 해답을 찾는 소중한 교육이다.

Chapter 3
하 브 루 타 학습에 있어서 가장 중요한 것은?

교육이란 무엇인가?

교육은 인간 형성 과정이며 바람직한 인간을 형성하여 보다 행복하고 가치 있는 나를 만들고 더 나아가 사회 발전을 도모하는 것이다.
교육은 올바르게 자라남을 의미하고 이상적인 인간상을 형성하는 데 아주 중요하다.

*나의 작은 실천

우리나라 교육은 개인의 성적 올리기에 모두 집중되어 있다.
성적 올려 대학 가서 성공하자.
이런 생각에서 대부분 벗어나지 않는다.

유대인들은 나의 작은 실천이 '세상을 새롭게 한다'라는 생각을 배우며 자란다. 배우는 것에 사명감이 남다르다.
주위에 도움이 필요한 사람들은 내가 도와야 할 사람이라고 생각하고 기꺼이 재산을 기부한다.

이런 문화가 유대인들 사이에서 서로 돕고 돕는 공동체로 생활을 하게 되는 것이다. 한 명도 낙오되지 않게 같이 도우며 나아간다.

유대인 '밀턴 허쉬'는 입맛의 감각을 활용해 상류층만 즐겼던 초콜릿을 대중화시킨 장본인이다.
허쉬는 펜실베이니아로 이민 온 가정에서 태어났다. 어렸을 때 공장에 다닌 허쉬는 18살에 사탕 가게를 열고 카라멜 공장도 세웠다. 그다음 초콜릿 공장까지 좋은 재료는 좋은 물건을 만든다는 기본으로 초콜릿을 만들었다. 허쉬 초콜릿이 유명해지고 그 마을 정부는 마을 이름을 허쉬로 바꾸어 주었다.

<알프리드 데이 허쉬와 허쉬 초콜렛>

허쉬는 성공의 결실은 다른 사람과 나누어야 한다는 생각에 기업 경영으로 번 돈을 대부분 마을 주민과 나누었다.
전기를 무료로 사용하게 하고 학교 골프장도 무료로 사용하게 해주었다.
허쉬 학교를 세우고 아직도 허쉬 초콜릿 회사의 대부분의 이익은 학교에서 사용하고 있다고 한다.

나는 하브루타를 접하면서 이 부분이 너무나 중요하게 와닿았다.

' 성공의 결실은 다른 사람과 나누어야 한다 '

우리나라의 '공동체 가치' 교육의 부재가 우리 사회를 분열과 갈등의 구조로 만들고 있다.
열심히 공부하고 성공해서 나만 잘 먹고 잘 사는 게 아니고 사회에 관심을 두고 남을 위해 내가 할 수 있는 것들이 무엇인지 한 번만 생각해 보면 좋겠다.

.

하브루타가 뇌를 깨치고 아이 공부만 잘하게 하는 공부법이 아니고 우리 아이들에게 어렸을 때부터 남에게 베풀고 어려운 사람을 돕고 정의를 생각하는 남과 더불어 다 같이 행복한 사회를 만드는 그런 가치 교육을 하는 것!!
이것이 우리나라식 하브루타 하는 이유가 되어야겠다.

Chapter 4

예술 업적으로 본 유대인 교육법의 성과

세계에 업적을 따라가다 보면 여러 분야에 탁월한 사람들이 있다. 바로 유대인이다.

역대 노벨상 수상자 30%를 배출했고, 미국 아이비리그 전체 학생의 30%를 차지하고 억만장자의 약 40%가 유대인이다.

또 미국 4대 일간지 주요 방송국 언론, 영화, 금융, 법 모두 유대인들이 이끌고 있다.

유대인이 이렇게 뛰어나든 안 하든 우리나라와는 상관이 없을 것 같지만 큰 오산이다. 우리가 잘 알고 있는 이름을 나열해 보자.

*탁월한 사람들

아담스미스, 아인슈타인, 프로이트, 스타벅스의 하워드 슐츠, 허쉬 초콜릿의 밀턴 허쉬, 베스킨 라빈스의 래리 엘리슨, 하겐다즈 루벤 매터스, 던킨 도너츠의 윌리엄 로젠버그, 마이크로소프트 창업자 빌 게이츠, 구글의 공동창업자 헤르게이 브린과 래리 페이지, 페이스북의 마크 저커버그, 그리고 할리우드 7대 메이저 중에서 파라마운트, 20세기 폭스, 워너 브라더스, 콜럼비아, 유니버설 등 모두 유대인에 의해서 설립됐다.

우리는 이미 스타벅스에서 커피를 마시고, 던킨도너츠에서 간식을 사 먹고, 베스킨 라빈스에서 생일 케이크를 사고, 구글의 대표적인 사이트인 유튜브를 매일 들어가고, 20세기 폭스나 콜롬비아 영화사의 영화를 본다.

우리 생활은 유대인 문화와 함께 하고 있다.

<유대인이 창업한 세계적인 기업들>

우리는 보통 유대인이 5가지로 세계를 지배한다고 이야기한다. 석유 (7개 메이저 석유회사 중 6개를 유대인이 소유), 금융 (미국은행 현금 97%가 유대인 소유), 식량 (세계 5대 메이저 식량 회사 중 3개 유대인 소유), 미디어(미국 3대 방송국 ABC, NBC, CBS와 로이터, 타임스, 뉴스위크, 워싱턴 포스트, 뉴욕 타임즈, 월스트리트 저널 등 언론사) 그리고 미국 정부라고 한다. 각 분야의 상위 1%가 언제나 유대인이라는 게 정말 놀라운 일이다.

⋆탁월한 예술가

그럼 예술 분야는 어떠할까?

외계인 하면 자연스레 생각나는 E.T 손가락은 요즘 MZ세대 아이들도 알고 있고, 아직도 피규어를 만들어 구매할 정도로 관심이 있다.

멸종된 공룡이 살아서 돌아오는 내용의 '쥬라기 공원'은 1990년 첫 작품으로 쥬라기 공원2, 잃어버린 세계, 쥬라기 공원3, 쥬라기 월드까지 지금까지도 만들어지고 있다.

<스티븐 스필버그 감독과 그의 대표작 ET>

그 당시 세계를 놀라게 했던 식인 상어 '죠스'는 엄청난 흥행을 거두었고, 홀로코스트를 주제로 한 쉰들러 리스트, 라이언 일병

구하기, 마이너리티 리포트까지 모두 할리우드를 대표하는 유대인 스티븐 스필버그의 작품이다.
이런 영화를 만드는 데 유대인의 강한 협동심이 도움이 되었다고 한다. 개성이 강한 예술인들은 협업하기가 어려운 게 특징인데 스티븐 스필버그는 대단한 협동심을 자랑한다.
상상력이 풍부한 유대인들에게는 영화는 아주 매력적인 일이다.

비달사순의 커트 머리는 1969년 그 당시 닐 암스트롱이 아폴로를 타고 달나라에 착륙한 것보다 더 획기적인 일로 꼽힌다.

<비달사순과 커트 머리>

비달사순은 영국 런던 가난한 유대인 가정에서 태어나 미용실에서 일을 배웠다. 2차 세계대전 이후에도 전쟁 후의 혼란으로 가득 찬 런던에서 유대인들이 핍박을 당한다. 거기에 맞서는 조직을 만들어 가입하고 거리에 나가 용감하게 싸운 거리의 전사이기도 했다. 이런 비달사순은 낮에 미용실에서 귀부인들 얼굴 형태에 따라 다양한 헤어스타일을 가질 수 있도록 만들었다고 한다. 비달 사순은 뛰어난 경영 수단으로 세계적인 헤어 브랜드를 만들었다고 평가받고 있다.

패션업계에선 '폴로(Polo)' 브랜드를 만든 랄프 로렌을 미국 대표 디자이너로 꼽는다.
랄프 로렌은 페인트공 아들로 태어난다. 아버지로부터 물려받은 색상 감각에 유대인 특유의 상상력을 발휘해 28살 나이에 파격적인 폭이 넓은 넥타이를 만들어 냈다.
'폴로'는 세계 최대 규모의 고급 의류로 여러 디자인을 통해 패션의 혁명이라는 평가도 받았다.

160년 전에 19세기 미국 많은 사람들이 '골드러시' 황금 노다지를 찾아 서부 캘리포니아로 갔다. 이때 리바이도 가게 된다. 많은 광부들이 필요한 것은 바로 작업 바지였다. 직업상 다치지 않은 질기고 두꺼운 바지가 필요했다. 리바이는 바지를 생산하게 되었고 광부들 사이에 큰 인기를 끌었다. 미국 최초의 의류 브랜드 리바이스(Levis) 청바지가 탄생한다.

유대인의 '세상을 돕는다'는 교육으로 리바이도 자선 활동을 많이 해서 정부는 1902년 그의 장례식이 열리는 날을 공휴일로 정하고 마지막 모습을 볼 수 있도록 하였다고 한다.

의류 산업에 캘빈 클레인(Cavin Klein), 게스(GUESS). 타미힐피거, DKNY, 갭(GAP) 등 유명 브랜드를 유대인이 만들었다
유대인은 감각을 창조적인 비즈니스로 연결시키는 탁월한 능력을 가졌다.

프랑스 르네상스 시대 당대 최고의 화가 레오나르도 다빈치, 모딜리아니, 키슬링, 마르크 샤갈이 그 시대를 대표하는 유대인 화가들이다.

<레오나르도 다빈치 최후의 만찬>

마르크 샤갈은 유럽 전역에서 나치 독일의 유대인 박해가 심해지자 1941년 미국으로 피신했다. 샤갈은 미국 뉴욕 메트로폴리탄 오페라 극장 벽화를 그렸고 다시 파리로 돌아가 자기의 대표작 30여 점을 프랑스에 기증했다. 니스시는 샤갈의 업적을 기리는 샤갈 박물관을 1973년 그의 86세 생일에 개관했고 이후 니스의 관광명소가 됐다. 많은 작품을 남긴 샤갈은 97세를 마지막으로 생을 마감하였다.

샤갈은 자기 작품을 사랑해 준 애호가들에게 보답을 항상 생각했다. 그래서 많은 작품을 정부에 기증했고 그를 후원한 갤러리나 개인 소장가들도 대가의 명작은 몇몇 개인의 독점물이 아닌 모두의 공동 자산이라고 하고 모두 기증했다.
미술품을 과시나 안전한 투자자산으로 여기는 우리 소장가들과는 많이 대조되는 부분이다.

<샤갈, 나와 마을>

유대인의 음악적 소양과 재능도 널리 알려져 있다.
구스타프 말러는 클래식을 깊이 아는 사람만 알 수 있을 것이다. 후기 낭만주의 작곡가 구스타프 말러는 천재 작곡자이다.
4살 때부터 음악적 재능을 보여 피아노를 배우기 시작했고
철학가 프리드리히 니체와 쇼펜하우어에 관심이 많았다.
지휘자로 활동했으며 나름 인정을 받았지만 작곡가로는 생전에는 빛을 보지 못했다. 말러 곡에는 유대인의 울분, 수난, 비극, 죽음 등 암울한 주제로 이루어졌다.

말러는 교향곡 9곡을 작곡했는데 기존의 틀을 파괴하고 교향곡에 성악과 합창, 민속 악기, 목관 금관 악기 주자의 수도 늘렸다. 교향곡 3번은 전체가 95분이나 넘게 연주해야 하는 곡이다.

1910년 독일 뮌헨에서 초연된 말러 교향곡 8번은 독창 8명, 합창 858명, 오케스트라 171명 무대에 무려 1,000명이 넘는 음악인이 참여해 '천인 교향곡'이라고 불린다.

말러는 고전음악과 현대음악의 다리를 놓은 낭만주의 마지막 작곡가이고 훗날 같은 유대인 현대 음악 작곡가 쇤베르크와 레너드 번스타인에게 큰 영향을 끼쳤다.
이제는 많은 사람들에게 사랑을 받고 있다.

<구스타프 말러의 천인 교향곡>

'캉캉'이란 춤곡은 너무나 유명하다.
18세기부터 프랑스와 오스트리아를 중심으로 무거웠던 오페라에서 희극적인 내용이 중심이 되는 새로운 형태의 오페레타가 발전한다.

오펜바흐는 그의 대표작인 오페레타 '지옥의 오르페우스'를 발표하고 그해 초연을 가졌다. 총 2막의 이 곡은 아주 경쾌한 음들로 청중을 사로잡았다. 그 후 2막 2장에 나오는 '캉캉 춤'은 프렌치 '캉캉 춤' 주제 음악이 되었고, 파리를 자랑하는 파리 대공연장 물랭루즈의 매 공연의 피날레를 '캉캉 춤'으로 한다고 한다.

오페레타가 끼친 영향 중 가장 주목할 것은 뮤지컬의 출현이다.
오펜 바흐의 창의적인 노력이 대중문화인 뮤지컬로 이어지게 된 것이다.

<캉캉과 지옥의 오르페우스>

미국에는 클래식 작곡자가 거의 없다고 할 수 있다. 19세기 말 유럽 출신 유대인들이 미국에 들어오면서 클래식뿐 아니라 대중음악 분야에서도 활기를 띠게 된다.
조지 거슈윈은 미국의 대중음악과 클래식을 합쳐 아메리카 클래식을 만들어 낸다. 거슈윈은 어린 시절 문제아였는데 열 살 때부터 피아노를 배우기 시작하면서 차차 안정을 찾았다.
16세 고교를 중퇴 후 악보 출판사에서 일하면서 재즈를 접하게 된다.
1924년 거슈윈은 그의 대표작 '랩소디 인 블루'를 작곡했다.
형식은 피아노와 관현악이 함께 연주하는데 아주 특이한 음악이 만들어졌다. 재즈 오케스트라의 느낌이랄까?
1925년에 발표한 피아노 협주곡은 밴쿠버 동계올림픽 피겨 스케이트 금메달리스트인 김연아가 편곡해서 사용하기도 했다.
1935년에는 뮤지컬 '포기와 베스'를 작곡했는데 흑인 여성이 아이에게 불러주는 노래 '서머타임' 노래는 이후 미국인이 가장 사랑하는 노래가 되었다.
이것은 오늘날 크로스오버 장르에 시작이 되었다.
클래식은 유럽에서만 성행했고 19세기 말부터 미국에 알려지기 시작한다. 유대인 음악가들이 미국에 들어오면서 알려지기 시작했는데 1세대 미국 유대인들이 대도시마다 관현악단을 만들어 지휘를 했다, 그렇게 미국에 클래식 붐이 일어난다.

미국에서 태어난 유대인 레너드 번스타인은 지휘자, 피아니스트, 음악교육가이다.
하버드 대학에 진학한 번스타인은 철학을 전공했고 다시 지휘자가 되는 꿈을 이루러 커티스에서 지휘와 작곡 공부를 했다.
보스턴 음악 축제에 보조 지휘자로 일하는 당시 뉴욕 필하모닉 연주회 때 갑자기 지휘자가 쓰러져 번스타인이 무대에 오르게 되었다. 단원들과 한차례도 호흡을 맞춘 적 없는 번스타인은 무사히 연주를 마쳐 호평을 받았다. 이런 인연으로 뉴욕 필하모닉 지휘자가 된다. 이후 많은 교향곡도 작곡했고 뮤지컬 <웨스트사이드 스토리>가 그의 대표작이다.

음악 교육에도 많은 관심을 가지고 클래식 음악을 알리는데 많은 노력을 했다. 해설을 곁들인 청소년을 위한 음악회를 자주 열어 차원이 다른 음악회로 극찬을 받았다.
1970년 번스타인은 세계적으로 유명한 지휘자가 되고 많은 곡들을 녹음해 디스크로 내놓았다.

자신과의 공통점이 많았던 말러의 음악을 부흥을 시켰고 절친이었던 존 F.케네디 대통령의 1963년 장례식 때 말러 교향곡 2번을 연주하였다. 번스타인은 1989년 12월 베를린 장벽 붕괴 축하공연과 1990년 8월 보스턴 공연에 죽기 2달 전까지 무대에 올랐다.
번스타인은 미국뿐 아니라 뉴욕필 명음반으로 세계 여러 나라에 음악을 알리는 데 큰 역할을 하였다.

영화 음악에도 유대인 작곡가의 활약이 대단하다.
<바람과 함께 사라지다>, <에어포트>, <오멘>, <매버릭>, <스팅>, <쉰들러 리스트>, <미션 임파서블>, <유주얼 서스펙트>, < 타이타닉>, <배트맨> 등 유대인 작곡가들이 영화 음악을 만들었다.
1965년 <사운드 오브 뮤직> 작품 영화를 나는 20번도 넘게

보았다. 어릴 적 대사를 외우고 영화에 나오는 모든 음악 가사를 한국말로 적어 뜻도 모르면서 따라 불렀다. 지금도 우리 집 TV에 사운드 오브 뮤직 영화가 소장되어 있다.
유대인 감독 로버트 와이즈는 이 영화로 아카데미 감독상을 수상했고, 이 주옥같은 주제곡을 작곡한 작곡자는 미국 유대인 리처드 로저스다.

<영화, 사운드 오브 뮤직>

로저스는 정통 클래식 교육을 받아 음악에 재즈나 경음악을 섞지 않았다. 꼭 클래식 오케스트라를 생각하면서 작곡을 하였다. 이렇게 탄생한 게 바로 세미클래식이다.
1928년에 작곡한 <블루 문>< 마이 퍼니 발렌타인>도 지금까지 많은 사랑을 받은 히트곡이다. 또 1951년에는 <왕과 나> ,

1957년 < 신데렐라> 뮤지컬 곡을 작곡했다.
로저스는 기본 음악에 충실했고 그런 음악은 대중에게 사랑받는 이유가 되고 아직도 매년 평균 800만 달러의 저작권료를 받는다고 한다.

미국 가수 겸 작곡가이자 시인, 화가, 작가인 밥 딜런의 히브리어 이름은 아브라함이다.
1950~60년대 미국 대중음악은 엘비스 프레슬리, 비틀즈, 롤링스톤스 등 영국 가수들의 인기가 대단했다.
밥 딜런은 미국만의 대중문화를 부활시키려고 새로운 시도를 한다.
모든 록 음악은 앰프를 통해 강렬한 전자 음악을 중심으로 연주하는데 밥 딜런은 자극적인 기계음을 빼고 통기타에 하모니카 등 간단한 기타로 노래 부를 수 있는 포크송을 만들어 낸다. 한국에서도 인기를 얻어 2010년에 한국 내한 공연으로 한국의 팬들을 만나기도 했다.

재즈는 아프리카 흑인 노예들 사이에서 애환을 담은 노래로 노예들 사이에서 부르기 시작하였다고 한다.
제1차 세계대전 이후 다양한 재즈가 흥행을 하는데 스윙, 블루스, 퓨전 재즈, 라틴 재즈 등이 생겨났다.

재즈 발전에 많은 유대인이 도움이 되었는데 베니 굿맨, 해리 제임스, 지기 엘먼, 스탄 게츠 등이 있다.

우리나라에 잘 알려진 클래식과 대중음악의 경계를 허물어 버린 크로스오버 연주자가 있는데 바로 유대인 색소폰 연주자
케니 지(Kenny G)이다.
케니 지의 1982년 첫 앨범은 발매와 동시에 폭발적인 인기를 얻었다. 무려 1,200만장이나 팔린 다이아몬드 앨범이다.
100만 장 이상이 골든 디스크, 1.000만 장 이상은 다이아몬드 디스크라고 한다. 감이 오는가?
1994년 발표한 <미라클> 앨범은 빌보드 차트 오랫동안 1위를 차지했다. 우리나라에서도 600만 장 이상의 음반 판매량을 기록했고 몇 번의 내한 공연 때도 관객석이 매진되도록 인기가 대단했다.

많은 재능 있는 악기 연주자들은 꿈도 못 꾸는 일인데, 이렇게 케니 지가 악기로 성공할 수 있었던 건 유대인 엔터테인먼트 회사의 조직적인 협력으로 가능한 일이다.
그 힘이 이런 히트 상품을 만들어 낸다.

클래식을 즐겨 듣는 사람이라면 지휘자 로린 마젤을 알 것이다. 기억력이 남다른 마젤은 신동이었고 여덟 살 때 미국 대학 관현악단이 연주하는 슈베르트의 '미완성 교향곡'을 통째로 외

워서 지휘했다.

2004, 2006, 2008년에는 뉴욕 필하모닉 오케스트라와 마젤이 한국을 찾았다. 분당 야외 공연장에서는 자신의 제자인 첼리스트 장한나가 지휘로 데뷔하는 것을 도와주기도 했다. 이렇게 마젤은 신인 연주자들 장래를 위해 적극 후원한다.

또 2008년 2월에는 북한 동평양 대극장에서 아리랑을 한국 연주자들이 아닌 뉴욕 필 단원과 마젤이 우리의 가락을 감동적으로 연주를 한다. 여러분도 유튜브에 [뉴욕 필 아리랑 공연]을 치고 들어가서 꼭 한 번 들어보길 강력하게 추천드린다.

감동의 음악을 만들어 내는 로린 마젤을 만날 수 있을 것이다.

유대인 음악가들은 모두 평범함을 거부한다.

구스타프 말러는 교향곡의 형식을 변화시켜 현대음악의 길을 열어주었고, 오펜 바흐는 기존의 근엄한 오페라에서 대중에게 더욱 쉽게 다가갈 수 있는 뮤지컬의 길을 열어주었다.

또 거슈윈은 크로스오버 장르의 선구자이다.

밥 딜런은 포크송이라는 장르를 만들어 내고, 리처드 로저스는 뮤지컬 음악을 대중적으로 바꾸어 놓았다.

유대인 디미트리 티옴킨은 무성영화 시대에 처음으로 영화 전편에 음악이 흐르는 창작곡을 채운 영화음악 작곡자다.

모두 너무나 창의롭고 위대하다. 유대인들은 대중의 감성을 잘 알아챘다. 하브루타 교육으로 창의력도 남다르고, 새로운 장르를 창출하는데 대단한 능력이 있다.

Chapter 5
다름을 인정하며 존중하는 능력, 음악 하브루타 첫걸음

하브루타를 공부하는 선생님들에게 틀림과 다름을 이야기할 때 항상 이 질문이 주어진다.

'+'를 보여주며 무엇이라고 생각하나요?

잠시 나는 무엇이라고 생각하는지 생각해 보자.

자기 입장에 따라 대답은 다를 것이다.
수학자는 덧셈으로, 목사님은 십자가로, 교통경찰은 사거리로, 간호사는 적십자로 이야기한다.

대답이 다른 이유는 모두가 자기의 관점에서 바라보기 때문이고 이것은 틀린 것이 아니고 다를 뿐이다.
따라서 하브루타 할 때 나와 의견이 다른 사람을 만나면 비판의 대상이 아니라 이해의 대상이 되어야 한다고 가르친다.

사람을 모두 틀린 것이 아니라 다르게 볼 수 있는 관점이 소통의 능력이다.
모든 사람들이 자신의 의견을 자유롭게 표현할 수 있고 서로 다름을 인정하고 존중함으로써 배려와 이해의 문화가 만들어진다. 이런 문화가 공동체 의식을 강화하는 데 도움을 준다.

다양한 의견을 통해, 우리는 새로운 지식을 얻고, 다른 관점을 이해하며, 개인적으로 성장할 수 있다.
개인 각각의 의견들이 받아들여지며 기본을 이룰 때 모든 가르침과 학습은 시작되는 것이다.

*왜 우리 아이에게 음악 하브루타가 필요할까?

음악은 분명히 다름을 인정하고 이해하는 데 큰 도움이 될 수 있다. 음악은 언어를 넘어서는 강력한 커뮤니케이션 도구이며, 서로 다른 문화, 생각, 감정을 이해하는 데 중요한 역할을 한다.

서로 다른 문화의 음악을 들음으로써 우리는 그 문화를 이해하고 존중하는 데 도움을 받을 수 있다. 음악은 감정을 표현하고 공유하기에 최고의 방법이다. 서로 다른 배경과 경험을 가진 사람들도 음악을 통해 공통의 감정을 공유하고 이해할 수 있다.

BTS 중 한 멤버가 뉴욕 타임스스퀘어 브로드웨이에서 게릴라 콘서트를 열었다. 뉴욕의 중심, 세계적인 랜드마크에서 이루어진 것이어서 그 의미가 더욱 특별하다.

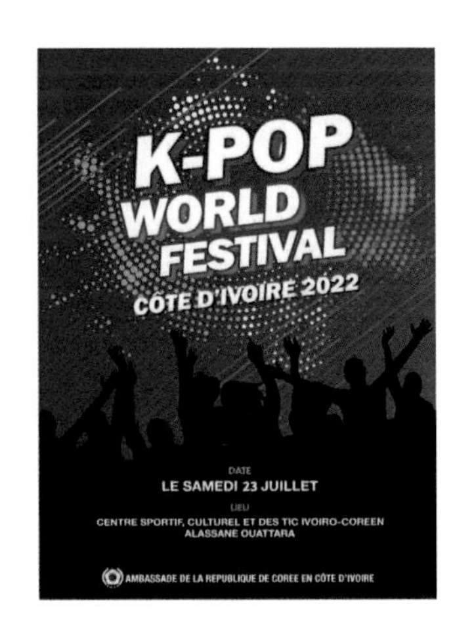

BTS는 전 세계적으로 많은 팬을 보유하고 있으며, 그의 음악은 다양한 문화와 사람들을 연결하는 데 큰 역할을 하고 있고 많은 사람들에게 감동과 즐거움을 선사한다.

K-POP이 전 세계적으로 인기를 끌고 있다는 건 놀라운 현상이다. 이는 음악이 언어와 문화의 경계를 넘어 사람들을 연결할 수 있는 강력한 매개체임을 보여주는 좋은 예시라고 생각한다.
음악을 통해 사람들이 서로를 이해하고 연결되는 모습은 정말 아름답다.

한국의 아티스트들이 전 세계적으로 성공하는 데에는 단순히 곡의 퀄리티 또는 아티스트들의 퍼포먼스 능력만으로 설명되지 않는다.
그들의 성공은 그들이 전달하는 메시지, 팬들과의 교류, 그리고 그들이 속한 대중문화의 특성 등 복합적인 요소들이 상호작용하고 있는 결과라고 볼 수 있다.

음악을 통해, 우리는 다른 사람들의 경험과 감정에 공감하고, 서로의 차이를 인정하고 존중하는 능력을 키울 수 있다.

따라서 음악은 다름을 인정하고 존중하는 데 중요한 도구로 작용할 수 있다.
음악은 아이들에게 매우 긍정적인 영향을 미칠 수 있다. 다양한 문화의 음악을 듣는 것은 아이들이 다른 문화를 이해하고 존중하는 데 큰 도움이 될 것이다.
다른 문화의 음악을 들으면서 그 문화의 특성, 역사, 가치 등을 이해하는 기회도 가질 수 있다,
다양한 문화에 대한 이해를 높이고, 다름을 인정하고 존중하는 태도를 배울 수 있는 것은 중요하다고 하겠다.

나는 아이들이 다른 사람들과 협력하고 서로를 이해하고 연결하는 데 도움이 되는 음악을 듣는 것은 아이들의 성장에 매우 유익하다고 생각한다.

음악 하브루타 책에서는 하브루타 방법으로 다양한 음악을 아이들과 함께 할 수 있도록 안내한다.
특히 클래식 음악은 소수 마니아의 독점물이 아니라 모든 사람이 즐길 수 있는 것이 되어야 한다.
부모가 먼저 음악을 가까이하기를 권해본다.

제3화
아직도 고민중? 지금 바로 시작하세요.

Chapter 1
가정에서 시작은 음악 감상부터 하세요.

'음악은 귀로 듣는 게 아니야 심장과 마음으로 듣는거야'

이 말은 어느 드라마 대사이다.
음악의 본질을 잘 표현한 말이라고 생각한다.
음악 소리가 우리에게 전달하는 감정이나 메시지, 이야기를 통해 우리의 마음에 감동을 주는 예술이기 때문이다.

음악 감상으로 하브루타를 해보자.
기쁨, 슬픔, 희망, 사랑 등 다양한 감정을 경험하게 된다.
음악을 귀와 마음으로 동시에 들음으로써, 우리는 음악을 통해 더 깊고 풍부한 경험을 할 수 있다.
소리가 전달하는 감정과 메시지를 마음으로 느껴 보자.

⋆음악 감상 하브루타

음악 감상으로 하브루타를 진행하는 것은 전통적인 하브루타 방식과는 다소 다르지만, 음악을 통해 대화와 소통을 이끌어 내는 방식으로 진행할 수 있다.

아이들에게 추천하는 곡들을 상황에 맞게 많이 들려주자.
그러면 어느 날 아이들도 제목을 물어보고 관심을 가질 때가 있을 것이다. 바로 하브루타 하면 좋을 타이밍이다.
음악을 통한 하브루타는 다음과 같은 방법으로 진행할 수 있다.

* 감상 - 배경 습득 - 생각 이야기 - 상상 *

<상쾌한 아침을 여는 음악>

하루의 시작 아침에 밝고 경쾌한 음악을 들으면서 하루를 시작한다면 그 하루는 분명 밝고 아름다운 생기 있는 하루가 될 것이다.
아름다운 음악을 들으면서 하루를 시작해 보자.
아이들 눈에 비친 세상은 밝고 아름답게 느껴질 것이다.

「요한 스트라우스 2세」
♬ 아름답고 푸른 도나우

<도나우강 풍경>

☞배경

아름답고 푸른 도나우는 가장 대중적인 사랑을 받는 왈츠 곡이다. 도나우는 강 이름이다.

오스트리아의 작곡자 요한 스트라우스는 왈츠의 아버지라고 불리며 빈 왈츠를 전 세계에 알렸다.

오스트리아 빈 신년 음악회에서 매년 연주자들이 새해 인사를 하며 연주를 시작하는 곡으로 유럽인들이 가장 좋아하는 곡이다.

☞질문

Q: 왈츠가 뭐야?

Q: 이 곡을 들었을 때 어떤 느낌이 들어?

엄마는 이 곡을 들으면 몸이 자연스럽게 움직여져.

쿵짝짝, 쿵짝짝 들어봐. 이렇게 움직여 볼까?

이렇게 3박자로 추는 춤곡을 왈츠라고 해.

Q: 아주 빠르지 않은 3박자에 어떻게 춤을 추었을까?

왈츠는 19세기에 유럽에서 유행했던 춤곡이야. 파트너끼리 안고 추는 최초의 무용이었대.

Q: 천천히 춤을 추어야 만 되는 이유가 있었을까?

옷이 불편했을까?

19세기 오스트리아 옷을
보면 아주 우아해.
허리가 잘록하고 치마는
벨처럼 엄청 넓어. 같이 볼까?
춤을 추는데 많이 불편했을
것 같아.
느리게 움직일 수밖에 없겠어.

Q: 지금 우리나라 유행하는 춤은 무엇일까?
꼬리에 꼬리를 무는 궁금한 질문으로 대화를 하다가 모르는 게 있으면 같이 찾아보면 좋다.

Q: 제목에 도나우는 어디에 있는 강일까?
유럽 대륙을 흐르는 큰 강으로 독일, 오스트리아, 헝가리, 루마니아 등 여러 나라를 거쳐 흑해로 흘러가는 유럽의 강이야.
나라마다 부르는 이름도 다르대.
헝가리 '두나', 불가리 '두나브', 영어 ' 다뉴브'이 곡의 제목인 '도나우'는 독일어라고 해.

Q: 유럽은 어디 있는지 지도로 찾아볼까?
같이 지도를 보며 나라 찾기를 해보자.

Q: 그럼 우리나라에도 이렇게 큰 강이 있을까?
우리나라도 수도 서울에 큰 강이 있어. 한강이라고 불러.

Q: 한강도 다른 나라에서 흘러 내려오는 걸까?
우리나라 위쪽 나라는 같은 한 민족인 북한이야.

Q: 그럼 한강은 북한에서 오는 물줄기이고 이름도 다를까?

이렇게 끝도 없이 질문에 질문을 이어간다.
아마 여러분도 질문을 읽으면서 질문 하나하나마다 또 다른 궁금증이 생길 것이다.
이렇게 텍스트를 놓고 계속 하브루타를 할 수 있다.
아이들과 하브루타를 하다 보면 정말 생각지도 못한 방향으로 사고 확장을 할 수 있다. 물론 하브루타 수업을 한다면 텍스트에서 너무 벗어난 이야기는 선생님이 중심을 잡아주는 게 좋다.
자녀와 함께 질문과 질문으로 많은 대화를 하며 새로운 정보에 대한 궁금증을 유발시키는 것은 많은 사고 확장에 도움이 된다.

나는 책을 쓰면서 궁금한 이 질문 '한강'에 대한 정보를 30분간 찾아보았다.

한강의 물줄기는 남한강 북한강 둘로 나뉘며 두물머리에서 하나로 합쳐져서 한강이 된다.

남한강은 강원도 태백시에서 발원하여 평창강을 합치고 소양강을 지나 홍천강을 합류하여 충주시를 지나 경기로 들어간다. 여주 양평 양수리 팔당호에 괴었다가 서울 한강을 지나 김포 그리고 서해바다로 들어간다고 한다.

그러니까 한마디로 한강도 다른 지역을 지날 때마다 이름이 바뀌는 것이다.

「크라이슬러」

♬ 아름다운 로즈 마린 Op.55

☞배경

오스트리아의 바이올리니스트 겸 작곡가 프리츠 크라이슬러는 연주뿐 아니라 주옥같은 바이올린 소품을 작곡했다.

1905년에 작곡한 우아하고 낭만적인 아름다운 로즈마린 곡은 왈츠풍으로 소녀가 춤을 추는 모습을 연상케 하는 사랑스러운 곡이다.

☞질문

Q: 바이올리니스트가 뭘까?

Q: 그냥 바이올린은 악기 이름이지?

Q: 바이올린을 연주하는 사람을 뭐라고 부를까?

바로 바이올리니스트야.

그 악기를 연주하는 사람을 악기 뒤에 ist 붙여서 쓰고 있어.

flute → flutist

clarinet → clarinetist

violin → violinist

cello → cellist 이렇게 연주자들을 부르지.

Q: 그럼 트럼펫 연주자는 뭐라고 부를까?

트럼펫에 이스트를 붙여봐. 트럼페티스트 (Trumpetist)

Q: 이 곡은 밝고 경쾌한 곡인데 어떤 느낌을 받았어?

음이 올라갔다가 내려왔다가 롤러코스터가 생각이 나.

Q: 놀이동산에서 롤러코스터를 타면 어떤 느낌이지?

롤러코스터를 타면 높은 곳에서 급격하게 내려오니 흥분되고 재미있어.

Q: 음들이 위로 갔다가 내려가도 그런 느낌이 날까?

음악의 멜로디가 위로 올라갔다가 내려가는 것은 곡의 감정의 변화를 나타내는 중요한 요소야.

이 곡을 들으면 기분이 좋아지고 밝아지는 걸 보면 음이 어떻게 움직이냐에 따라 느낌이 달라지나 봐.

Q: 이 곡은 아주 기쁘고 밝은데, 곡이 슬프고 어두운 곡도 있을까?

장례식장에서도 음악은 흐르니까 슬픔을 표현하는 곡도 있어.

만약 음악 선생님과 하브루타를 한다면 전문적인 설명을 해줄 수 있을 것이다.
주로 곡의 기분이나 분위기를 나타낼 때 장조와 단조로 나타낸다.
장조는 밝고 긍정적인 느낌을 주며, 기쁨이나 행복과 같은 감정을 표현하는 데 주로 사용된다.
'도레미파솔라시도' 음계 구조 때문에 장조곡은 듣는 이에게 밝고 화창한 느낌을 준다.

단조는 일반적으로 조용하거나 부드럽고, 때로는 슬픔이나 그리움 같은 감정을 표현하는 데 주로 사용된다.
음계는 '라시도레미파솔라' 음계 구조 때문에 단조곡은 듣는 이에게 조금 더 내면적이거나 심오한 느낌을 줄 수 있다.

만약 어떤 질문에 설명할 수 없다면 그것은 아는 게 아니다.
짝에게 설명할 때 아는 것과 모르는 것을 알게 되면서 메타인지가 발동한다.
그리고 남에게 가르치고 알려주려면 공부해야 하는데 이렇게 함으로서 학습의 동기가 생기게 되는 것이다.
아이들과 짝으로 이야기를 나누다 보면 궁금한 게 생기고 모르는 것을 알고 스스로 찾아가는 이 과정이 하브루타에서 중요한 시간이다.

이와 같은 방법으로 음악을 즐기고 감상하는 것은 우리의 삶에 풍요로움과 만족감을 더해줄 수 있는 소중한 활동이다.
계속해서 곡을 올릴 때 질문 3개를 함께 올리려고 한다.
질문을 참고해서 이야기하되 먼저 틀을 정해놓고 이야기하는 것은 조심해야 한다.

음악 감상 하브루타가 다양한 감정과 이야기를 표현하고 고유한 음악적 아이디어를 발견하는 그런 시간이길 바란다.

「쇼팽」

♬ 피아노 쇼팽 화려한 대왈츠 (Chopin Grande Valse Brillante OP.18 No.1)

☞배경

쇼팽의 왈츠는 춤을 추기 위한 왈츠가 아니고 왈츠의 리듬만 가져온 화려한 피아노 소품이다.
한편의 서정시 같은 쇼팽의 개성이 드러나는 뛰어난 작품이다.
쇼팽은 피아노 연주곡만 작곡을 했다.

모든 곡이 우수하다.
아마 쇼팽의 곡을 들은 후에는 쇼팽의 팬이 되어 있을 수 있다.

☞질문
Q: 왜 왈츠 앞에 '대'왈츠라고 했을까?
이 곡은 쇼팽 왈츠 중에 가장 유명한 곡이야. 듣는 이에게 활력과 에너지를 주어 '화려한 대왈츠'라는 별칭을 얻었어.

Q: 쇼팽은 피아노 하나로 어떻게 화려하게 표현했지?
마치 사람들의 명랑하고 활기찬 모습을 상상하게 만들어.
쇼팽은 뛰어난 피아노 기술로 다양한 화음과 선율을 동시에 표현했어. 잘 들어봐? 피아노에서 마치 오케스트라처럼 들리지 않니?

Q: 오케스트라가 뭐야?
오케스트라는 여러 종류의 악기를 여러 사람이 같이 연주를 하지. 주로 클래식 음악을 연주하고, 다양한 악기를 이용하여 풍성하고 다양한 음색을 만들어.
그럼 이런 다양한 악기들은 어떻게 한 번에 소리 낼까?
지휘자가 지휘를 맡아 연주를 해.

Q: 그럼 지휘자는 악기가 뭐야?

꼬리에 꼬리를 무는 궁금한 질문은 계속된다.

쇼팽곡 한 곡을 더 추천하려고 한다. 사실 나는 플룻을 전공한 플룻티스트이지만 피아노 작곡가 쇼팽 곡을 사랑한다.
그래서 쇼팽 곡을 플룻으로 연주하기를 좋아한다.
그의 뛰어난 창의력과 피아노에 대한 깊은 이해는 감동적인 음악에서 느낄 수 있다.

「쇼팽」
♬ 피아노 쇼팽 녹턴 2번 (Chopin Nocturne Op.9 No.2)

☞배경
폴란드 작곡가 프레데리크 쇼팽이 1827년~1846년까지 작곡한 녹턴 곡이다.
고백 한 번 못 해본 첫사랑 콘스탄체를 두고 빈으로 건너온 쇼팽의 마음을 고스란히 담은 아주 아름다운 피아노곡이다.

☞질문
Q: 녹턴은 무슨 뜻일까?
'녹턴'은 라틴어 'nocturnus'에서 유래한 단어로 '밤의'라는 뜻이야. '녹턴'은 밤의 분위기를 표현한 음악이야.
특히 19세기 로맨틱하고, 조용하고 서정적인 분위기의 음악을 표현하는 데 자주 사용되었지.

Q: 1827년 폴란드에서는 이런 곡을 들을 수 있었구나. 그럼 우리나라 19세기는 어떤 음악을 들을 수 있었을까?

Q: 19세기는 우리나라가 무슨 시대였지? 고구려 백제 신라 삼국시대? 고려시대? 조선시대?
19세기는 조선시대 후기였어. 매우 혼란스러운 시기였지. 이 시기에는 조선이 서구 열강의 침략을 받기 시작했어.
나라 안에서 동학 운동과 같은 민중 운동도 일어났고, 갑신정변, 청일전쟁, 그리고 러일전쟁 등 19세기 후반에 많은 전쟁이 있었어. 그러다 일본은 우리나라를 식민지로 만들어 세력을 확장하려고 일본이 쳐들어왔지. 우리나라는 많은 고통을 겪었어. 삶의 여유가 없었겠지?
19세기라면 1800년대부터 1900년까지를 말해.

Q: 지금은 2023년이니, 지금은 몇 세기일까?
2000년부터니까 21세기네.
19세기는 대략 200년 전이 되겠네.

Q: 200년 전에 전쟁이 이렇게 많이 일어났는데 지금은 전쟁이 사라졌을까?

질문은 무궁무진하다.
이런 식으로 하브루타 대화는 어떤 이야기로 대화가 흐를지 아무도 예측할 수 없다.

아이의 관심에 맞게 또는 짝의 질문을 질문으로 받으면서 사고를 확장하는 것은 우리에게 많은 의미와 장점을 제공한다.
음악 감상 과정을 통해 우리는 문화와 예술에 대한 이해를 넓히고 소통과 협력의 능력을 발전시킬 수 있다.
음악 감상도 하고 예술의 이해도 넓히고, 음악 하브루타가 사고의 폭을 넓히는 시간이 되었으면 좋겠다.

Chapter 2

질문을 통해 생각 팔레트를 넓혀보기

질문은 우리가 세상을 이해하고, 새로운 관점을 탐색하는 데 아주 중요한 역할을 한다.

Chapter 2에서는 음악 감상에서 나왔던 질문

'Q: 1827년 폴란드에서는 쇼팽 피아노 곡을 들을 수 있었구나. 그럼 우리나라 19세기는 어떤 음악을 들을 수 있었을까?

이 질문에 우리나라 음악가 홍난파 선생님의 생애를 통해 생각 팔레트를 펼쳐보려고 한다.

[홍난파 선생님의 이야기]

“영후 이 녀석! 냉큼 사랑으로 건너오너라.”

“아니, 하라는 공부는 안 하고 여학교 담을 몰래 넘다니...“

아버지는 영후의 종아리를 사정없이 때렸습니다.
영후는 아무 말도 하지 않고 매를 맞았습니다.
음악 소리에 끌려 자기도 모르게 담을 넘었다는 말도, 음악 공부를 하고 싶다는 말도 아버지에게는 통하지 않는다는 것을 잘 알고 있기 때문입니다.
의사였던 형은 영후를 위로해 주었습니다. 15살이나 위였기 때문에 늘 영후를 잘 챙겨주었습니다.

영후 집과 담을 사이에 두고 있는 이화학당에서는 매일 음악소리가 들려왔습니다. 난파는 피아노 소리가 너무나 아름다워 담에서 떨어질 줄을 몰랐습니다.
'정말 아름다운 소리야! 한 번만이라도 쳐 볼 수 있다면...‘
홍난파는 그렇게 음악가의 꿈을 꾸기 시작했습니다.

영후 즉 난파는 노래에도 재능이 있었고 전국 소년소녀 합창단에 들어가게 되었습니다.
'아, 음악이란 이렇게 좋은 것이구나. 사람들을 저절로 하나로

만들어 주니 말이야. 난 꼭 음악가가 되고 말거야.'
다짐했습니다.

어느 날 난파는 책방 앞을 지나는데 바이올린을 보고 발걸음을 멈췄습니다.
'갖고 싶다. 무척 비싸겠지?'
책방으로 들어간 난파는 "아저씨 저 .. 바이올린 얼마예요?"
"교칙본하고 바이올린 합쳐서 7원 50전이다."
바이올린 생각에 빠진 난파를 도와 형은 아버지를 설득했고 바이올린과 호만 교칙본을 사게 된 난파는 열심히 연습을 시작했습니다.

1912년 난파는 중학교를 졸업하고 조선 정악전습소 양악부 사현금과에 입학하였습니다.
재능을 인정받은 난파는 12월 23일 세브란스 의학 전문학교 크리스마스 연주회에 바이올린 연주를 했고 연주회장 모인 관객들을 감동시켰습니다.
이름을 날린 난파는 그 후 양악부 교사가 되었고 난파는 자신이 가야 할 길이 교사가 아니라는 것을 깨닫고 1918년 스무살의 나이로 일본 유학길에 올랐습니다.
일본으로 가는 길에 아버지 뜻을 거스르고 음악을 택한 자신의 미래에 대한 두려움으로 난파는 자꾸만 눈물이 흘렀습니다.

도쿄에 도착한 난파는 일본인들을 보고 깜짝 놀랐습니다.
고통받는 우리 민족들과는 달리 거리마다 활기찬 일본인들 넘쳐났기 때문입니다.
'남의 나라를 침략하고도 저렇게 태연스레 웃고 있다니...'
그런 난파는 일본 도쿄 우에노 음악 학교에 입학한 후 높은 수준의 음악을 본격적으로 배우기 시작했습니다.

난파가 음악 공부를 하던 중, 조국에서 3.1 운동이 일어났습니다. 그러자 일본에 건너간 조선인 유학생들도 조국의 독립운동에 참여하기 시작했습니다.

<3.1 만세운동>

난파도 그렇게 아끼던 바이올린을 팔아 전단지를 만들어 뿌려 일본의 만행을 알렸습니다. 그러자 일본 경찰들이 쫓기 시작했고 음악 공부를 중단하고 조국으로 돌아와야 했습니다.

어느 날 난파에게 김형준이란 사람이 찾아왔습니다.
트럼펫 연주자로 정신 학교에서 음악 교사로 있는 김형준이 하루는 울 밑에 피어 있는 봉선화의 모습이 보고 너무 애처로워 마치 우리 민족의 모습이 느껴졌습니다.
나라를 잃고 고통과 설움 속에서 살아가는 우리 민족을 생각하니 가슴이 너무 뜨거워졌습니다. 곧 시를 쓰기 시작했습니다.
김형준은 그 시를 가지고 난파를 찾아왔던 것입니다.

「울 밑에 선 봉선화야 네 모양이 처량하다.
길고 긴 날 여름철에 아름답게 꽃 필 적에
어여쁘신 아가씨들 너를 반겨 놀았도다.
어언 간에 여름 가고 가을바람 솔솔 불어
아름다운 꽃송이를 모질게도 침노 나니
낙화로다 늙어졌다 네 모양이 처량하다」

난파는 "이 시야말로 내 바이올린 곡 '애수'에 잘 맞겠어"
이렇게 '애수' 곡은 '봉선화'라는 노래가 되어 세상에 알려졌습니다.
이 노래는 레코드로 녹음이 되어 순식간에 전국으로 퍼져 나가 우리나라 방방곡곡 어느 곳에서든 난파가 지은 봉선화 노래가 흘러나왔습니다.
하루는 난파가 탄 기차에 젊은 학생들이 눈살을 찌푸리게 할 정도로 시끄럽게 떠들고 있었습니다.
난파는 슬그머니 일어나 바이올린를 꺼내 들고 잔잔한 <트로이메라이>를 연주하기 시작했습니다. 시끄럽던 기차 안에 바이올린 악기 소리가 울려 퍼지자 사람들은 일제히 난파를 쳐다보았고 사람들 모두 아름다운 음악 소리에 빠져들어 갔습니다.
난파는 신이 나서 미뉴에트. 가보트, 도라지 우리 민요까지 흥겹게 연주를 했습니다. 약 한 시간에 걸친 연주회가 끝나자 사람들은 박수를 보내며 즐거워했습니다. 사람들은 나중에 이 사람이 그 유명한 바이올리니스트 홍난파라는 걸 알고 벌어진 입을 다물 줄 몰랐습니다.

1925년 9월 26일 난파는 꿈에 그리던 첫 독주회를 가졌습니다. 연주회는 대성공을 이루고 더욱 깊이 있는 음악을 공부하기 위해 다시 일본 유학을 결심했고 공부를 마치고 돌아온 난파는 어린이 창작에 많은 노력을 기울였습니다.

'나라를 빼앗기고 희망을 잃어버린 우리 어린이들에게 희망과 용기를 줄 동요를 만들어야 해'

난파는 윤석중, 이원수 등에게 받은 동시를 노랫말 삼아 작곡하였습니다. 그 결과 1929년에 동요 50곡을 실은 조선 동요 100곡 책이 출간하였습니다.
「나의 살던 고향은」 ,「달맞이」곡이 대표곡이었습니다.

난파는 미국 유학을 떠났습니다. 미국은 너무나 자유로웠고 발전한 모습에 매우 놀랐습니다. 시카고에 있는 셔우드 음악대학에 입학하여 서양 음악을 배우기 시작했습니다.
너무나 가난한 난파는 학비를 벌기 위해 새벽에는 우유와 빵 배달, 밤에는 악기 공장에서 피아노 조율을 닥치는 대로 일을 해야 했습니다.
유학 생활을 마치고 돌아온 난파는 바이올린 귀국 연주회가 아닌 지휘자로서 연주회를 열었습니다.

난파는 노산 이은상의 시에 많은 곡을 붙였습니다.
그리고 우리나라 교향악단 창설의 필요성을 느끼고 1939년 7월 23일 밤 경성 방송 관현악단이 홍난파의 지휘로 모차르트 교향곡 제41번 <주피터>를 연주하였습니다.
이날 난파는 말할 수 없이 큰 감동을 받았지요.
완전한 교향곡을 우리나라에서 연주할 수 있었기 때문입니다.
이것은 난파의 눈물겨운 노력과 관현악단원들의 피나는 훈련이 가져온 결과였습니다.
이러한 노력 덕분에 다음 해인 1940년 난파가 그렇게도 바라던 우리나라 최초의 관현악단이 창설되었습니다.

그러나 난파가 평생을 두고 그렇게 바라던 교향악단의 첫 공연이 있던 날, 난파는 건강이 악화되어 병원에 입원하게 되었습니다. 늑막염에 과로가 겹쳐 쓰러진 난파는 계속 나빠졌고 가망이 없다는 진단을 받고 집으로 돌아온 어느 날 아침, 갑자기 다문 입을 열었습니다.

"나에게 연미복을 입혀주시오."

지휘할 때 입던 연미복을 입은 난파는 마지막 숨을 거두는 순간까지 두 손에 바이올린을 꼭 껴안은 채 조용히 눈을 감았습니다.

나의 살던 고향은

나라를 잃고 시름에 빠진 우리나라 모두에게 평생 음악을 통해 용기와 꿈과 희망을 불어넣어 준 홍난파.
그의 노력은 우리의 음악이 세계로 도약할 수 있는 터전이 되었습니다.

☞배경
홍난파는 1897년 경기도 화성군 활초리에서 태어났다.
그 해 바로 대한 제국이 선포된다.
명성황후 시해되는 을미사변 이후 고종은 1년간 러시아 공사관으로 피신한다. 아관파천이라고 부르는 사건 이후 러시아 공사관에서 머물렀던 고종은 1897년 다시 경복궁으로 돌아와 234일 뒤에 황제의 나라 '대한 제국'을 선포한다.

대한 제국은 13년간 헤이그 밀사사건, 고종의 강제 퇴위, 을사늑약, 안중근 의사의 하얼빈 이토 히로부미 저격까지 많은 사건이 일어났다.
1940년에 일본에 맞설 수 있는 우리나라 군대 한국광복군이 조직되었고 그 해 난파는 우리나라 최초의 관현악단을 조직하였다.
1941년 난파는 광복을 보지 못하고 세상을 떠났다.

*창의력 사고력 상상력을 키워주는 대화의 방법

먼저 질문하는 습관을 가져야 한다.
궁금증을 가지고 새로운 것에 대해 질문하면서 대화를 이끌어 가는 것이 중요하다. 이는 자신의 생각을 확장하고, 새로운 아이디어를 발견하는 창의력에 도움이 된다.
다양한 관점에서 새로운 아이디어에 접근하는 열린 마음은 상상력을 키운다.
특정 상황을 가정하고 그에 대해 어떻게 행동할지, 어떤 결과가 나올지 상상하며 이야기를 나누는 것도 도움이 된다.
이러한 방법들을 통해 하브루타 대화로 창의력, 사고력, 상상력을 키워보자.

☞질문
Q: 홍난파는 어떤 음악적 배경을 가지고 있었지?

Q: 홍난파가 일제시대에 음악 공부를 하면서 겪었던 어려움은 무엇이었을까?

Q: 홍난파의 음악이 일제강점기 동안 억압받던 국민들에게 어떤 영향을 주었을까?

Q: 홍난파의 음악이 현재까지도 우리나라 음악에 미친 영향은

무엇일까?

Q: 바이올린 악기는 어떤 악기일까?

Q: 바이올린의 가격 7원 50전은 지금으로 하면 얼마일까?

Q: 만약 홍난파가 서양 음악을 전혀 접하지 못했다면 그의 음악 스타일은 어떻게 달라졌을까?

Q: 만약 홍난파가 일제강점기가 아닌 다른 시기에 태어났다면 그의 음악은 어땠을까?

Q: 만약 홍난파가 전자 음악 기술을 사용할 수 있었다면 음악이 어떻게 변했을까?

Q: 왜 홍난파의 음악은 현재까지도 많은 사람들에게 사랑받고 있을까?

이제 다시 처음의 질문을 떠올려 보자.

Q: 19세기 폴란드에서는 쇼팽 피아노 곡을 들을 수 있었구나. 그럼 우리나라 19세기에는 어떤 음악을 들을 수 있었을까?'

이 질문에 우리는 홍난파가 작곡한 '울 밑에 선 봉선화' 나의 살던 고향은 ' '달맞이' 이런 곡이라고 말할 수 있다.
또 질문으로 연결해 보자.

Q: 쇼팽이 폴란드에서 작곡하면서 겪었던 어려움은 무엇이었을까?

Q: 쇼팽과 홍난파의 음악 스타일은 각각 어떻게 다를까?

Q: 쇼팽은 피아노를 어떻게 시작했을까?

이 질문을 듣는 순간 어떤 생각이 드는가?
책을 읽고 홍난파에 대해서는 아는데 쇼팽에 대해서는 아는 게 없다. 이 질문에 대답을 하려면 쇼팽에 대해서 알아야 한다.
그래서 쇼팽을 배워야 한다.

하브루타를 하면서 자연스럽게 아는 것과 모르는 게 나오고 이런 메타인지는 학습에 대한 동기를 부여하는 데 중요한 역할을 한다. 자신의 학습 과정을 이해하고, 학습에 대한 자신감이 생기고, 학습이 즐겁고. 긍정적인 태도를 갖게 된다.

이렇게 대화는 창의력, 사고력, 상상력을 향상시키는 데 매우 중요한 역할을 한다.

*친근한 의사소통 방식

질문을 통한 친근한 대화를 유도해 보자.
"오늘 학교에서 무슨 좋은 일이 있었어?"와 같이 자녀의 이야기를 들어보는 것이 좋다. 이를 통해 자녀는 자신의 생각과 감정을 표현하는 방법을 배운다.

긍정적인 피드백은 자녀가 자신의 의견을 표현하는데 도움을 준다. 자녀가 이야기할 때는 그것을 칭찬하고 격려하는 것이 중요하다. 이렇게 하면 자녀는 자신의 의견을 표현하는 것이 좋다는 것을 배우게 된다.
아이가 어떤 감정을 느끼고 있는지 이해하려고 노력하고, 그것에 대해 어떻게 느끼는지 이야기해주는 것이 중요하다.
이런 방법들이 자녀와의 친근한 대화를 돕는데 도움이 된다.

자녀와의 대화는 '감정과 생각을 존중하는 마음'을 기본으로 대화하는 것을 꼭 잊지 말아야 한다.

Chapter 3

음악 하브루타 실습. 이렇게 시작해 보자.

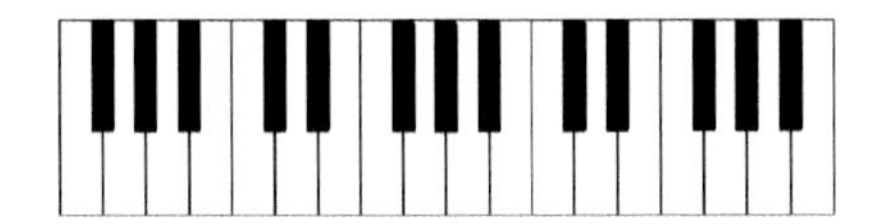

하브루타 학습 방식을 활용한 음악 교육은 실제 현장에서 반응이 좋다.

도서관 '음악 하브루타' 부모와 자녀가 짝이 되어 함께한 수업은 새로운 접근 방식에 아이들도 어머님도 '이런 생각해 본 적 한 번도 없어요' 이런 말을 많이 한다.

모두 새로운 깨우침에 즐겁게 수업했던 기억이 있다.

학부모들에게 이 질문을 해보았다.

대부분의 아이들이 유아 아니면 초등 저학년 때 피아노 학원을 가는데

'왜 피아노를 가르치세요?'

'피아노를 가르치는 진정한 목적은 무엇인가요?'

'피아노는 무엇일까요?'

너무 상식적인 질문을 할 때 우리는 대답을 횡설수설할 때가 있다. 학부모들에게 이 질문을 했을 때 대부분 '글쎄요'라며 확신에 찬 대답은 없었다.
이유를 모르고 배우는 아이들도 독립적인 사고를 가질 때쯤이면 다시는 피아노를 거들떠보지도 않는 사람이 많다.

어린 시절 음악을 접한 경험은 다양한 자극이 된다.
그것을 새로운 과제로 받아들이고 성취해 내는 성취감과 성공 경험을 맛보기에 피아노를 배우는 건 아주 좋은 활동이라고 생각한다.

이제는 피아노에 대해 알고 배우자.
학원에서는 음악 이론과 피아노 치는 방법은 가르치지만
피아노가 어떤 악기인지는 한 번도 생각해 본 적은 없을 것이다.
'피아노' 단어를 가지고 음악 하브루타 실습을 해보자.

* 피아노 음악 하브루타

☞질문

Q: 피아노는 누가 만들었을까?

(이렇게 답이 있는 질문은 같이 찾아보는 게 좋다)

피아노를 발명한 것은 1700년대 초반, 피렌체의 메디치 가문의 후원을 받아 악기 제작자로 일하던 '바르톨로메오 크리스토포리'야. 이탈리아 사람이지.

Q: 피아노를 처음에는 어떻게 만들었을까?

피아노 전에는 피아노를 닮은 건반 악기 하프시코드와 클라비코드라는 악기가 있었어. 그는 이 악기가 울림이 없어 음악적 표현이 부족하다고 생각했어.

그래서 포르테(f), 피아노(P) 강하고 부드럽게 표현이 가능한 지금의 피아노를 만들었어. 바로 키를 누르는 힘에 따라 소리의 세기를 조절할 수 있다는 점이 아주 중요하지.

이런 기능 덕분에 피아노는 다양한 음악적 표현이 가능해져서 많은 연주가들에게 사랑받게 되었어.

Q: 피아노는 왜 이름이 피아노일까?

'피아노'라고 부르기 전에 처음에는 이름이 아주 길었어.

'셈여림이 있고 사이프러스 나무로 만든 챔발로'

피아노를 부를 때마다 말하기에는 너무 길어서 불편했을 것 같아.
셈여림이 '포르테피아노'이니까 이 악기를 '포르테피아노'라고 부르다가 간편하게 '피아노'라고 부르게 됐어.
'피아노'는 바로 '여리게'라는 뜻!!

Q: 피아노는 건반이 모두 몇 개일까?

Q: 우리 같이 세어볼까?
모두 88개 건반이구나.

Q: 왜 이렇게 많은 건반이 필요할까?
초기의 피아노는 지금의 피아노보다 건반 수가 훨씬 적었어. 하지만 19세기 동안, 음악가들이 더 많은 음역대를 원하게 되었지. 피아노 제조사들은 건반 수를 점차 늘려갔어.
사람이 들을 수 있는 범위와 피아노의 음색을 최대한 이용할 수 있는 범위를 생각해서 88개의 건반이 가장 적합하다고 생각한 거야.
모두 7옥타브와 하나의 3음을 포함하는 흰건반 검은건반 88개의 건반이 일반적인 피아노의 표준이 되었어.

Q: 옥타브가 뭐야?
'도'에서 다음 '도'까지를 한 '옥타브'라고 해.

'도,레,미,파,솔,라,시,도' 음악 용어야.

사람의 귀는 높이가 다른 '도'라도 비슷하게 들리거든.

같은 음으로 취급하면 안 되니까 사이의 거리를 '옥타브'라고 부르는 거지.

피아노에는 7개의 옥타브가 있으니까 더 넓은 음역대로 다양한 음악을 연주할 수 있어.

Q: 피아노에는 검은 건반과 흰건반 색을 왜 다르게 했을까?

피아노의 건반 색상이 검은색과 흰색으로 나누어진 이유는 연주자의 편리함을 위해서야.

원래 초기 피아노에서는 흰건반이 검은색이었고, 검은 건반이 흰색이었어. 지금은 바뀌었지만...

<초창기 피아노>

흰건반은 '도레미파솔라시'의 7개의 자연음을 소리 내고, 검은 건반은 이 사이의 5개의 반음(플랫 혹은 샾)을 소리 내지.
연주자가 손가락을 움직일 때 건반을 쉽게 찾아 연주할 수 있도록 도와주고, 높이도 다르게 설계되어 편리하게 칠 수 있대.

Q: 이렇게 색깔로 구분 지어 우리가 살아가는 데 도움을 받고 있는 게 또 있을까?

Q: 생각나는 게 있는데 학교 앞에 가면 무슨 색으로 되어 있지?
노란색이요.
맞아. 운전할 때도 노란 선은 중앙선 '넘어오지 마세요'라는 뜻이고, 어린이 보호 구역에는 '스쿨존'으로 노란색 횡단보도가 있어. 운전자들은 정말 조심해야 돼.
부주의를 경고하는 색이 노란색이라면 교통 신호등에는 빨간색, 노란색, 초록색으로 구분되어 운전자와 보행자에게 교통 상황을 명확하게 알려주지.
고속도로에서는 자동차 주행 방향을 안내하기 위하여 색깔 유도선을 사용하기도 해.
운전하는 사람들한테는 큰 도움이 되지. 이 아이디어를 생각해낸 도로공사 직원은 큰 상을 받았다고 해.
이렇게 색깔은 우리가 정보를 이해하고, 판단을 내리고, 일상을 더욱 효과적으로 살아가는 데 도움을 주는 중요한 요소야.

Q: 그럼 우리도 색깔을 이용해서 도움이 될 수 있는 걸 생각해 볼까?

아이들이 자유롭게 생각할 수 있게 기다려 주고 함께 응원해 준다.
꼬리에 꼬리를 무는 궁금한 질문은 계속된다.

하브루타 학습 방식을 활용한 음악 하브루타는 학생들이 자신의 음악적 아이디어를 제시하고 서로의 영감을 주고받으며 창의적인 표현을 발전시키는 데 도움을 준다.
음악 하브루타는 음악 감성, 이론 학습에 더하여, 학생들의 협력, 의사소통, 창의성 등 다양한 능력을 함께 발전시킬 수 있는 장점이 있다고 하겠다.

*음악 하브루타 하기 좋은 곡

「헨델/ 사라방드」

곡이 주는 느낌은?

「캐논」

바로크 시대 음악이 지금까지도 사랑받은 곡

「바흐/ 미뉴에트」

영화음악에 멜로디가 사용됨.

「미션 /가브리엘 오보에」

음악이 주는 감동을 이야기하기

「모차르트/반짝반짝 작은 별 변주곡」

아이들이 관심을 가장 많이 보이는 곡. 리코더나 칼림바로 연주도 가능함.

「클라이슬러 /사랑의 기쁨과 사랑의 슬픔」

바이올린 연주자가 본인이 연주할 곡을 작곡함

장조와 단조를 이야기할 수 있음.

「슈베르트/ 숭어」

리듬이 마치 물 위로 튀어오르는 숭어를 보고 있는 듯한 느낌.

「차이코프스키/호두까기 인형 행진곡」

바이올린이 행진하는 어린이들의 모습을 재미있게 그려 냄.

「쇼팽/ 강아지 왈츠」

강아지가 자기의 꼬리를 물려고 뱅글뱅글 도는 모습을 음악으로 즉석에서 작곡함.

「생상스/ 백조」

호수 위를 헤엄치는 백조의 모습을 연상하게 하는 느린 선율이 마음을 편안하게 해줌.

「하이든/ 시계2악장」

8분음표의 스타카토로 연주되는 반주의 리듬이 마치 시계추의 기계적이고 규칙적인 움직임을 연상시켜 줌.

「베토벤/ 엘리제를 위하여」

피아노를 치게 되면 누구나 한 번쯤은 다루어 보는 사랑스런 소품.

우리나라 청소차 후진은 베토벤 '엘리제를 위하여'가 시킨다.

재미있게 감상 후 음악 하브루타를 해보자.

즐거운 시간이 되길 바란다.

Chapter 4

감정을 인지하고 행복을 만나는 여정

음악이 있는 가정은 행복하다.

음악은 우리의 심리적 스트레스를 줄이는 데 효과적이다.

특히 편안한 음악은 우리의 심장 박동 수를 줄이고, 스트레스 호르몬인 코르티솔을 감소시키는 것으로 알려져 있다.

음악을 사랑하는 사람들은 음악의 아름다움을 느낄 수 있는 사람들이고, 정서가 풍부하고 삶을 긍정적으로 인식하고 삶의 기쁨을 누릴 수 있다.

행복의 핵심은 즐거움과 같은 긍정적 정서를 많이 경험하는 것이다.

한 달도 되고, 일주일도 되고, 하루도 되고, 한 시간도 좋다
주어진 1시간을 행복하게 혹은 덜 행복하게 어떻게 쓰겠는가?
사람들은 긍정적인 부류와 반대 부류가 존재한다.
행복은 스스로의 삶에 만족하고 행복감이나 즐거움 같은 긍정적인 정서를 보다 많이 경험하고 불안이나 분노 등의 부정적 정서를 보다 적게 경험하는 게 좋다.

매일 만나는 친구나 동료의 얼굴 표정을 떠올려 보라.
어떤 상황에서도 긍정적인 정서를 가진 사람들의 얼굴이 매력적인 얼굴이지 않을까?
우리 아이들이 살아가는 동안 '내 삶에 대해 만족한다'라고 생각하면 좋겠다.
긍정적인 정서를 많이 느끼는 것이 중요하다.

'행복한 사람이 되기 위한 조건은?'

행복은 관계에서 느낀다.
부모와 좋은 관계는 아이의 행복에 긍정적인 영향을 미친다.
아이가 조금 더 행복할 수 있도록 부모로서 양육할 수 있나를 생각해 보자.

부모는 자녀가 성공하고 건강하고 더 행복한 사회생활을 하는 사람이 되길 바란다.
자녀는 부모가 더 따뜻하고 부드럽고, 통찰력을 가진 부모이길 바란다.
그리고 서로 이런 사람이 아닌데 화를 내고 이런 사람으로 바꾸기 위해 기싸움을 버린다.
그 결과는 서로 사랑받지 못하고 상처만 남게 된다.
우리는 자녀가 훌륭해지면, 성공하면, 좋은 대학 가면 그제서야 좋은 관계가 될 것이라 생각한다. 그런 날이 오면...

자녀가 훌륭해지고 좋은 대학에 가서 성공하는 게 나쁘다는 게 아니라 매 순간을 어떻게 살 것인가를 생각해야 한다는 것이다.
지금 바로 오늘, 따뜻한 관계를 해치지 않도록 노력해야 한다.
행복은 미루고 미루다가 한 번에 오는 게 아니고 바로 오늘 행복을 찾아내고 느끼고 즐겨야 한다.

행복감을 더 많이 느끼는 아이로 성장하기 위해서는 부모가 먼저 행복해지고 우리 자녀들이 음악을 가까이하고 늘 긍정적인 생각을 가지면서 인성을 갖춘 사람으로 성장시켜야 한다.
음악 하브루타를 통해 자녀의 속마음을 알고 좋은 관계를 유지하길 바란다.

부모님의 약간의 수고와 노력이 자녀가 평생 인생을 살아가는 데 훌륭한 밑거름이 되어 줄 것이다.

이 책이 행복 선물이 되길 바란다.

맺음말

자녀와 어떤 상호 작용을 자주 하는가?

자녀와 공부로만 상호 작용하고 있지는 않는가?

가장 중요하게 생각해야 될 것은 어린 시절 부모와 주고받았던 긍정적 감정과 따뜻한 정서이다.

이 감정과 정서는 자신이 누구인지, 어떤 가치를 가지고 살아가야 하는지, 한 사람의 인생에서 가장 중요한 역할을 한다는 걸 잊지 말아야 한다.

긍정적 감정과 정서 발달에 도움을 주는 음악은 듣기에서부터 시작한다.
음악의 중요성을 알려주는 이 책을 읽었다고 음악을그냥 잘 듣게 되는 건 아니다.
엄마의 사랑을 글로만 느낄 수 없듯이, 음악은 스스로 느끼고, 표현을 할 때 의미가 있다.
음악 하브루타 책은 이를 위해서 음악 듣기를 하브루타 대화 방법으로 느끼고 표현할 수 있게 제공해 준다.

음악을 가까이하는 또 다른 방법은 백화점, 병원, 아름다운 화장실 등 공공장소에서 좋은 음악으로 고객의 마음을 편안하게 만드는 바로 BGM(배경음악) 활용이다.
아이들 놀이 시간, 식사 시간, 잠자는 시간 등 주변에 아름다운 음악을 배경음악으로 들려준다면 정서 안정에 도움이 될 것이다.
일단 마음을 먹고 시작하면 중간에 멈추지 않고 꾸준히 계속 들려주어야 한다.
아이에게 음악 듣기를 강요하지 말고 배경 음악으로 자연스럽게 아이의 마음속에 스며들도록 노력해 보자.

음악은 심리학적으로 많은 신체적, 정서적 문제를 치료하는 데 사용되며, 심리적 회복을 돕는 데 효과가 있다.
이는 세계 2차 대전 이후에 여러 나라에서 음악치료로 발전되어 사용되었다.

이렇게 음악은 우리의 심리적인 상태를 관리하고, 건강을 유지하고, 학습과 기억력을 향상시키는 데 매우 중요한 역할을 한다.

음악을 적극적으로 활용하여 아이들에게 심리적인 안정을 주어 행복한 아이로 자라게 하자.

아이의 음악 하브루타 경험이 아이를 창의적으로 만들고, 음악을 사랑하며 인생을 즐길 수 있는 사람으로 자랄 수 있게 만든다.
이 책을 읽는 모든 가정이 음악으로 행복한 가정이 되기를 바란다.

flutist 양일지

아이의 뇌의 특별한 선물, 음악 하브루타

발 행 | 2024년 1월 20일
저 자 | 양일지
펴낸이 | 한건희
펴낸곳 | 주식회사 부크크
출판사등록 | 2014.07.15.(제2014-16호)
주 소 | 서울특별시 금천구 가산디지털1로 119 SK트윈타워 A동 305호
전 화 | 1670-8316
이메일 | info@bookk.co.kr

ISBN | 979-11-410-6716-8

www.bookk.co.kr